小学生のための

2ケタ

バク速！暗算ドリル

タカタ先生

数学教師芸人
日本お笑い数学協会
会長

フォレスト出版

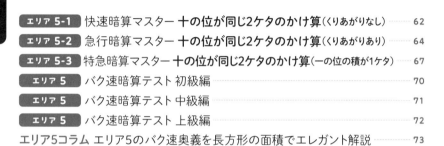

エリア5 十の位が同じ2ケタの暗算

エリア6 25×2ケタ & □5×□5の暗算

ブックデザイン　山之口正和＋齋藤友貴（OKIKATA）
イラスト　　　　FUJIKO
ＤＴＰ・図版作成　閏月社、フォレスト出版編集部

ガリ男に謎の怪文書が届く

僕の名前はガリ男。
算数が大好きな小学6年生だ。
僕はこれまであらゆる計算問題を筆算でガリガリ計算してきた。
ガリ男だけにね。

しかし、とあるクラスメイトに計算対決で敗れたことをキッカケに
「計算の工夫」を教えてくれる「バク速！計算教室」に
通うようになった。

ガリ男の過去を知りたい人はコチラ

ある日の帰り道、1人でトボトボ歩いていると、ケイさんとデン太くんが楽しそうにおしゃべりをしているのを目撃。

ちくしょ〜〜〜！

僕は家とは反対の方向に走って

恋の三角関係と、ガリ男の計算力の行方は！？

僕は……、
僕は……、
電卓より速く計算
できるように
なりたいんです！

僕はワラにもすがる思いで叫んだ。

小学生のための
算数のできる子だけが知っている
バク速！計算教室

タカタ先生

学校や塾では教えてくれないスゴ技満載

今までの半分以下の
スピードで解ける！

算数オリンピック入賞者も感嘆＆実践！

56×625を5秒で！　314×43＋315×57を10秒で！

『小学生のためのバク速！計算教室』みんな読んでね！

〈筆算〉×〈計算の工夫〉の二刀流になった僕の計算速度は
今ではクラスでダントツ、ナンバー1だ。
「計算界の大谷翔平」とは僕のことさ！

ガリ男く〜ん。一緒に帰ろう〜。

彼女の名前はケイさん。
僕がひそかに想いを寄せるクラスメイトだ。

彼女は計算と図形の関係にとっても詳しい。
「ケイさん」と「図ケイ」の「関ケイ」。
「ケイ」が「3コ」で「ケイさん」だ。

 グッドアフタヌーン、ガリ男＆ケイさん。レッツ下校トゥギャザー！

彼の名前はデン太くん。アメリカからやって来た帰国子女だ。
アメリカでは、計算は電卓でやるのが常識らしい。
彼には一度、筆算 VS. 電卓の計算対決で敗北したことがあったけど、
「バク速！計算教室」に通うようになってからは連戦連勝さ！

僕の圧倒的な計算力に憧れたのか、ケイさんとデン太くんも
「バク速！計算教室」に通うようになった。
そう、僕たち3人は同じ計算教室に通う計算仲間（ケイトモ）だ！

 ガリ男くん、今日返ってきた算数テストどうだった？

 もちろん100点さ！

 スゴイ！　私は90点……。
ゆっくり解いていたら時間がなくなって
最後の問題にとりかかれなかったの……。

 僕は95点だった。ケアレスミスだね。電卓があればなあ……。
よし、これからみんなで計算教室に行こう。
レッツ復習トゥギャザー！

 ごめんなさい。
今日は私、ダンスのレッスンの日だから行けないの。
週末にオーディションがあるし。
ガリ男くんは計算教室へ行くんでしょ？

いや、僕もちょっと用事があるんだ。

 そうか、残念だな……。シー ユー トゥモロー！

本当は用事があるわけじゃない。
ケイさんが行かないなら、今の僕に計算教室へ行く理由はない。
なんてったって、僕は100点満点で、
クラスで一番の計算王なんだから。
計算教室には仮病の電話を入れて、今日は真っ直ぐ家に帰るとするか。

――帰宅すると……――

 ただいまー！

「おかえりガリ男。今日は計算教室に
行くんでしょ？」
「いや、今日も行かない」
「あら、そう。そうい
えばガリ男、あんた
に封筒が届いてるわ
よ」

通信教育のDMかと
思ったけど、入って
いたのは例のマンガ
ではなかった。
大きなおへそのネコ
のイラストが描か
れた「謎の怪文書」
と――、

怪文書

たたいろたがついたていたるた

とたこたろをすたたべたてたあん

たざたんで'たとたきたなたさいた。

そたうすたれたばたきみたたは

したんのけたいたさんおたたたう

にちたかづくた。

ヒント

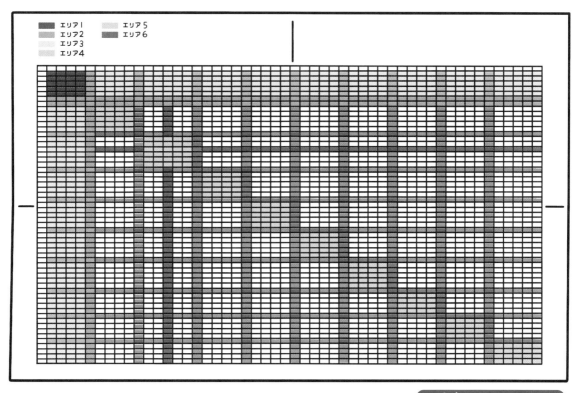

99×99マスに色がつけられた「謎の表」だ。

この表を大きくしたものが
本書の巻末にあるよ！
挑戦してみてね！

差し出し人は「JOMA」。まったく心当たりがない……。
この「怪文書」と「表」の謎を解くため、
翌日学校でケイさんとデン太くんの意見を聞いてみた。

――翌日――

「JOMA」？　「ジョマ」って読むのかなあ……。
こんな英単語聞いたことがないよ。

ヒントのネコも意味がわからないよね。

この表みたいな図形は、何か算数と関係あるのかしら……。
そうだわ！　みんなで「バク速！計算教室」に行って、
質問してみましょう。

―― 放課後、僕たち3人が計算教室の扉を開けると…… ――

どうも～！
＋かな指導力で生徒の計算力を－上げる
計算名人のタカタ先生だよ～～～ん！

真っ赤なベストに真ん丸メガネのハイテンションなこのオジさんこそが、
僕たちが通う「バク速！計算教室」のタカタ先生だ。

あれ？　ガリ男は＋か風邪を－×ていて
体調が÷いんじゃなかったっけ？

ええ、まあ……。そんなことより！
僕の家に変な封筒が届けられたんです。
その中に入っていたのがコレなんですが……。

どれどれ……。ふ～ん、なるほど、なるほど。
誰がコレを送ったのかはわからないけど、この怪文書は読めたよ。
ヒントのイラストは「たぬき」だから、怪文書から「た」を抜くと……。

たぬき？　どう見てもネコですよ！

いやいや、これは絶対に「たぬき」だ。
ほら、ドラえもんだって、ネコ型ロボットだけど、
見た目「たぬき」でしょ？
まあ、そんなことはいいから、「た」を抜いて読んでみて。

「いろが　ついている　ところを　すべてあんざんで　ときなさい。
そうすれば　きみは　しんの　けいさんおうに　ちかづく……」
なんだってー！　真の計算王!?

じゃあ、この 99 × 99 のマスは何ですか？

 ふむふむ……。なるほど、そういうことか……。
これは 99 × 99 の暗算マップだね。
おそらく、マップのエリア1〜6を分解すると、
次のようにエリアが分かれているんだ。

エリア1
「九九」

エリア2
「× 10 & × 11 の暗算」

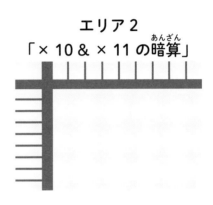

エリア3
「2 ケタ × 1 ケタの暗算」

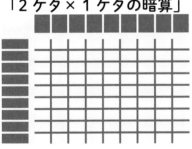

エリア4
「11 × 11 〜 19 × 19 の暗算」

エリア5
「十の位が同じ 2 ケタの暗算」

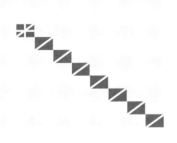

エリア6
「25 × 2 ケタ & □ 5 × □ 5 の暗算」

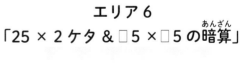

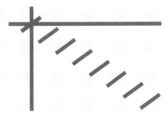

これらをすべて暗算で解けってことらしい。
コレは、ガリ男に対する挑戦状だね。

ホワイ？　なんでパッと見ただけで、
そんなことまでわかるんですか？

ま、まあ、私レベルになりますと、これくらいはね……。
そんなことより！　ガリ男はこのマップの問題、暗算で全部解ける？

いや、全部は無理ですよ！
38 × 36を暗算できる人なんて、いるわけないじゃないですか！

ノンノンノン！　38 × 36を暗算で解くのは可能です！

なんだってー!?

タカタ先生が伝授する暗算奥義をマスターして
この暗算マップを完全攻略すれば
キミは「真の計算王」に近づくことができるのです〜〜！
その暗算奥義、知りたくない？

うお〜、知りたい！　教えてください！　計算王におれはなるっ！

おもしろそう！　タカタ先生、私にも教えて！

レッツ 暗算 トゥギャザー！

よ〜し、みんなで力を合わせて、暗算マップを攻略開始だ！
まずはエリア1からいくぞ！それでは授業を始めます！

ドリルの使い方と目標

さあ、授業に入る前に、大切なドリルの使い方と目標を確認しておこう。

1 まずはエリア1を読んで、かけ算の理解を深めよう！

たくさんギャグを入れたから、九九っと笑ってくれたらうれしいなぁ。

2 エリア1の最後（27ページ）に九九を覚えるための
武器を用意したぞ。

「九九表」「パプリカ替え歌 九九のうた」「エリア1攻略計算ゲーム」だ。
九九は完璧に暗記してから、先に進んでくれ！

3 エリア2から、いよいよ2ケタのかけ算に挑戦だ！

エリア2～エリア6まで、少しずつ難易度が上がっていくぞ。
必ず順番に解き進めていこう。

4 各エリアでは、最初に裏技のやり方を解説しているぞ。

解説を参考にしながら、穴埋め形式の練習問題を解いてみよう！

5 練習問題で裏技をマスターしたら、
各エリアの最後にある「バク速暗算テスト」に挑戦だ！

暗算に自信がない場合は、裏技の途中式を書いてもOKだよ。
慣れてきたら、暗算にもチャレンジしてみよう。

6 最後の仕上げに各エリアの「攻略計算ゲーム」にも挑戦だ！

パソコンやスマホやタブレットでプレイできるぞ。
ランキングには「タカタ先生」や「ガリ男」も登場するかも？？？
目指せ全国ランキング1位！

7 ドリルの最後に「攻略マップ（99×99の表）」を用意したぞ。

暗算をマスターしたエリアは色をぬって、攻略した範囲を広げていこう！

鬼速暗算マスター
そもそもかけ算って何だっけ!?

難易度 ★☆☆☆☆　天才度 ★☆☆☆☆　実用度 ★★★★★

解 説

 「かけ算」の授業を ×足でやっていくよ〜ん！

 おっ！　今日も乗り乗りですね！

 かけ算＝乗法だけにね！

 決まった〜！　カッケ〜！

 さて、まずは「かけ算って、そもそも何なのか？」を
確認していくよ〜ん！
突然だけど、ガリ男は遠足のおやつは、何を選ぶかい？

 う〜んと、キャベツ太郎と、ビックカツと、
ヤングドーナツですかね〜。

 あれ？　ガリ男なのに、ガリガリ君は選ばないの？

 遠足にガリガリ君を持って行ったら、
溶けてベチョベチョ君になるでしょ！

 ＋かに！　ってことは、式にするとこうだね。

ガリ男のおやつ＝ ＋  ＋

そうですね！　タカタ先生は何を選ぶんですか？

 キャベツ太郎と、キャベツ太郎と、キャベツ太郎！

 キャベツ太郎ばっかり！

 あれ？　この場合は、
キャベツ太郎と、キャベツ次郎と、キャベツ三郎になるのかな？

キャベツ太郎　　キャベツ次郎　　キャベツ三郎

 なりません！　勝手にキャベツ三兄弟にしないでください！

 ＋かに！　じゃあ、式にするとこうなるね。

タカタ先生のおやつ＝ ＋  ＋

 回りくどい！
キャベツ太郎×3のほうがスッキリしてわかりやすいですよ！

 エクセレント！
今ガリ男が言ったことが、
「かけ算って、そもそも何なのか？」の答えなんだ！

 どういうことですか？

「同じモノのたし算」が「かけ算」の正体だ！

キャベツ太郎＋キャベツ太郎＋キャベツ太郎と同じモノを何個も足すのは、回りくどいし、書くのも面倒くさい！
そんなときはかけ算の出番だ！

キャベツ太郎3個のたし算＝  × 3

うまい棒5本のたし算＝  × 5

ガリガリ君10本のたし算＝  × 10

これならスッキリ！　書くもの簡単ですね！

ちなみに、ガリ男はガリガリ君×10を一気に食べたことある？

あるわけないでしょ！
そんなことしたら、ゲリゲリ君になっちゃいます！

アイスは1日1本まで！

ガチ速暗算マスター
かけ算は なぜ生まれた？

難易度 ★☆☆☆☆   天才度 ★☆☆☆☆   実用度 ★★★★★

解 説

 次は「かけ算はなぜ生まれたのか？」を考えていくよ〜ん！

 かけ算とは、同じ数のたし算をスッキリ簡単に表すための
ものでしたよね？
3 + 3 + 3 + 3 = 3 × 4
5 + 5 + 5 + 5 + 5 + 5 + 5 = 5 × 7

 エクセレント！
じゃあ、最初にかけ算＝同じ数のたし算が
必要になったのはいつだろう？

 え〜っと、買い物で、りんごを4個買ったり、
みかんを7個買ったり、同じモノを何個も買ったとき？

 確かに買い物のときにかけ算は必要だね！
でも、人類が買い物を始めるよりずっとずっと前に、
かけ算は誕生していたんだ！

 なんだって〜？

 昔＋昔＝大昔のお話

 昔×2ですね！

地球は氷河期で超＋超＋超さむかったんだ！

 超×3だ！

 しか〜し！
氷河期も終わり、地球も少しずつ暖かくなってきて、
作物を育てられるようになった！

 農業の誕生だ！

 農業でとっても＋とっても＋とっても＋とっても大事なのが水！

 とっても×4だ！

 人々は川の周りに畑をつくった。
大きな川の周りには多くの人が集まった。
そして、農業のおかげで、食べ物が増えた！
みんないっぱい食べて、いっぱい子どもを産んで、
人口がどんどん増えた！
そしてついに、エジプトやメソポタミアやインドや中国で、
アレが誕生したんだ！

 はいはい、アレですね！

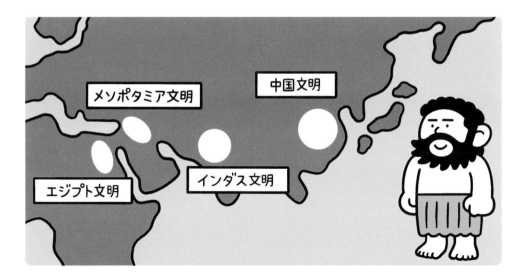

文明の誕生です！

 誰!?

 フルネームは、古代文明。

 だから誰!?
古代文明＝こだいぶんめいでしょ！

 エクセレント！
実は、農業が始まった古代文明の時代にかけ算は生まれたんだ！

 そんな大昔に!?

 人々は大きな川の周りに畑をつくった。
しかし、大雨が降ると川の水があふれて、
誰の畑かわからなくなってしまう。
だから、自分の畑の広さを調べることが必要になったんだ。

 なるほど！

 最初は、基準となる正方形が何個分か数えて調べていた。
この畑なら8個分だね。

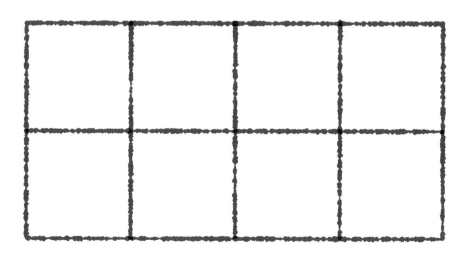

でも、こうやって分けると？

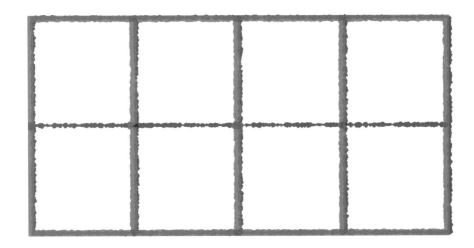

 2＋2＋2＋2だ！同じ数のたし算になってる！

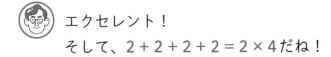 エクセレント！
そして、2＋2＋2＋2＝2×4だね！

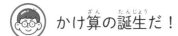 かけ算の誕生だ！

 そして、長方形の面積＝たて×よこという公式も生まれたのよ！

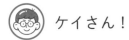 ケイさん！

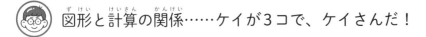 かけ算＝長方形の面積。
コレは図形と計算の関係を考える上で一番大切よ！

図形と計算の関係……ケイが3コで、ケイさんだ！

スーパーエクセレント！！！

高速暗算マスター
棒のかけ算とは?

難易度 ★★☆☆☆　　天才度 ★★☆☆☆　　実用度 ★☆☆☆☆

解 説

 ガリ男は、1ケタ×1ケタのかけ算は、どうやるかい?

 どうやるっていうか、九九を覚えているので、すぐに答えが出ます!

 エクセレント!　しかし、大昔は九九はなかったはずだ!
九九なしで、1ケタ×1ケタはどうやるかい?

 ムム!　基本に戻って、2×3＝2＋2＋2って足し算でやるとか?

 それも正しいね!　でも他のやり方もある!
九九が発明される前、さまざまな国で、
さまざまなかけ算のやり方が発明されたんだ!
その中でも、特に面白い「棒のかけ算を紹介するね!

 棒のかけ算!?

 たとえば、2×3なら、2本の棒と、
3本の棒を、こんなふうに交差させる!
実はこれでもう2×3の答えが出てるんだ
ガリ男は気づくかな?

 う～ん……あっ!
棒と棒が交わってる点の数が、
2×3＝6コになってる!

2×3の棒のかけ算

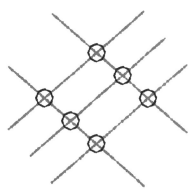

エクセレント〜！

 でも、これって、たまたまなのでは？

 それじゃあ、3×4でやってみよう！

 3本の棒と、4本の棒を、こんなふうに交差させて、棒と棒が交わってる点を数えると、3×4＝12コだ！
すごい！

3×4の棒のかけ算

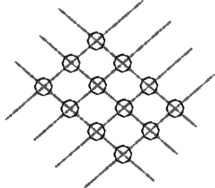

 エクセレント〜！
それじゃあ次は、
3×13でやってみよう！

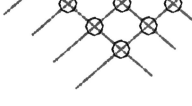

3×13の棒のかけ算1

 えっと……3本の棒と、13本の棒を……書くのが面倒くさい！点を数えるのは、もっと面倒くさい！

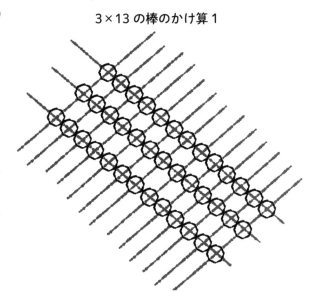

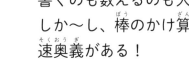 そのとおり！
棒のかけ算は、本数が増えると書くのも数えるのも大変だ！
しか〜し、棒のかけ算にはバク速奥義がある！

 知りたい〜！

 その名も「各位書き」。各位の数だけ、棒を書き書きしてみよう！

 なるほど！　つまり3×13なら、一の位の3本の棒と、十の位の1本の棒＆一の位の3本の棒を書き書きして、棒と棒が交わってる点を数えると、3コと9コだから、

$3 \times 13 = 39$ だ！　すごい！

 スーパーエクセレント～！

 バク速奥義39。

 ちなみに、12×13なら、十の位の1本の棒＆一の位の2本の棒と、
十の位の1本の棒＆一の位の3本の棒を書き書きして、
棒と棒が交わってる点を数えると、1コと5コと6コだから、
$12 \times 13 = 156$ だ！

 12×13 を筆算でガリガリ計算してみると……156だ！
合ってる！　すごい！

 「棒のかけ算」と「筆算」を見比べてごらん！

 なんか似てる！

 でしょ！
もしかしたら、「棒のかけ算」は「筆算」のご先祖様なのかもしれないね～。

 わお！
「筆算」には156からお世話になってるから、
「棒のかけ算」に感謝です！

3×13 の棒のかけ算 2

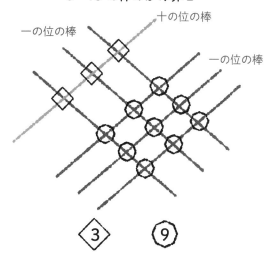

12×13 の棒のかけ算

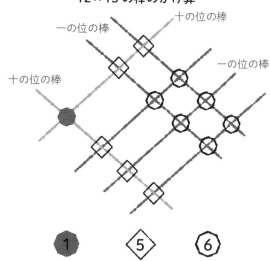

12×13 の筆算

$$
\begin{array}{r}
12 \\
\times\ \ 13 \\
\hline
36 \\
12\ \ \\
\hline
156 \\
\end{array}
$$

神速暗算マスター
指のかけ算とは？

難易度	★★☆☆☆	天才度	★★★☆☆	実用度	★☆☆☆☆

解 説

 次は「指のかけ算」のお話だよ〜ん！
ガリ男は、九九は何の段まで覚えてる？

 もちろん9の段まで覚えてますよ！

 エクセレント！
でも実は、5の段まで覚えていれば、
6〜9の段は「指のかけ算」で答えがわかるんだ！

 なんだって〜！？

 8の段で確認してみよう！
5の段までしか覚えてない場合、8×1はどうすれば良いと思う？

 う〜ん……あっ！　わかった！
かけ算は、かけられる数とかける数を交換しても答えが同じだから、
$8 × 1 = 1 × 8 = 8$ですね！

 スーパーエクセレント！

 ってことは、
$8 × 2 = 2 × 8 = 16$
$8 × 3 = 3 × 8 = 24$

8 × 4 = 4 × 8 = 32
8 × 5 = 5 × 8 = 40
……ここまではできました！

 じゃあ、8 × 6はどうする？

 う〜ん……8 × 6 = 6 × 8としても、
5の段（だん）までしか覚（おぼ）えてないなら、お手上（てあ）げです！

 ここで活躍（かつやく）するのが「指（ゆび）のかけ算（ざん）」なんだ！
小指（こゆび）を6、薬指（くすりゆび）を7、中指（なかゆび）を8、人差（ひとさ）し指（ゆび）を9……と考（かんが）えて、

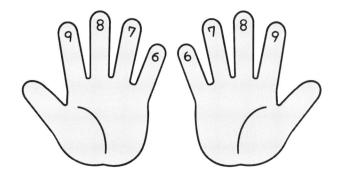

8 × 6の場合（ばあい）は
左手（ひだりて）の8（中指（なかゆび））と右手（みぎて）の6（小指（こゆび））をくっつける！

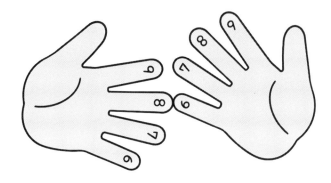

実（じっ）はコレで8 × 6の答（こた）えが出（で）てるんだ！ガリ男は気（き）づくかな？
ヒントは、
くっつけた指（ゆび）から下（した）が十（じゅう）の位（くらい）、
くっつけた指（ゆび）より上（うえ）が一（いち）の位（くらい）になってるぞ！

23

え～っと､､､
くっつけた指から下は3本と1本だから、3 + 1 = 4が十の位
くっつけた指より上は2本と4本だから、2 + 4 = 6が一の位
ってことは、8 × 6 = 46になる！　あれ？　答えが違う！

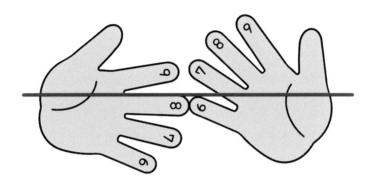

残念～！　十の位は合ってるけど、一の位は違うね！

う～ん……8 × 6 = 48だから、一の位は8になれば良いのか……。
くっつけた指より上は、2本と4本だから、わかった！
2 × 4 = 8が一の位ってことは、8 × 6 = 48だ！

スーパーグレートエクセレント！　まとめると、
くっつけた指から下は、たし算の答えが十の位。
くっつけた指より上は、かけ算の答えが一の位。
この方法で8 × 7をやってみよう！

えっと……8 × 7の場合は
左手の8(中指) と右手の7(薬指) をくっつけて
くっつけた指から下は3 + 2 = 5が十の位、

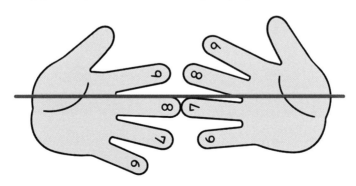

くっつけた指より上は2×3＝6が一の位、
ってことは、8×7＝56になる！
すごい！　合ってる！

 それじゃあ卒業試験！
7×6をやってみよう！

 えっと……7×6の場合は
左手の7（薬指）と右手の6（小指）をくっつけて
くっつけた指から下は2＋1＝3が十の位
くっつけた指より上は3×4＝12が一の位
ってことは、7×6＝312になる！

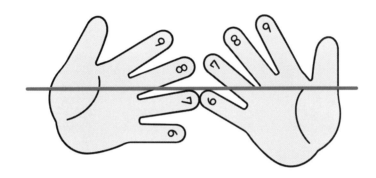

あれ？　コレはあきらかにおかしい！

 一の位が12ってことは？

 そうか！　くりあがりだ！
十の位は3＋1＝4になるから、7×6＝42だ！

 九九は本気で
完璧に暗記！

 エクセレント！
コレで6~9の段も完璧だね！
ぜひテストで「指のかけ算」を使ってくれ！

 いや、すでに九九を覚えてるから、
「指のかけ算」を使うことはありません！

九九の段の答えを電卓で量産する方法

電卓で ［7 × 1 =］［7 × 2 =］［7 × 3 =］……と入力すれば
［7の段］の答えを一つひとつつくることができるよね。
バーット！ しかしその方法は──、バード！
もっと簡単に量産する方法があるんだぜ！
その入力方法とは──、［+ 7 =======］。

最初に［+ 7 =］を押して、　　　次に［=］を連打すると……7の段の答えを量産できる！

電卓で［+ 7］と押してから［=］を連打すれば
答えは7ずつ増えるから7の段の答えが量産されるんだぜ！
でも、やっぱり九九は暗記したほうが速いよね。
オイラが育ったアメリカにも九九は一応あるんだけど、
英語の九九はとっても覚えづらい！
日本語の九九は覚えやすくてワンダホー！
オイラも右の表で九九を完璧にしなきゃ……！

まずは以下の表を使って九九を完璧に覚えよう！

1の段
いん いち がいち
1 × 1 = 1
いん に がに
1 × 2 = 2
いん さんが さん
1 × 3 = 3
いん し がし
1 × 4 = 4
いん ご がご
1 × 5 = 5
いん ろくが ろく
1 × 6 = 6
いん しち がしち
1 × 7 = 7
いん はちが はち
1 × 8 = 8
いん く がく
1 × 9 = 9

2の段
に いちがに
2 × 1 = 2
に にんがし
2 × 2 = 4
に さんがろく
2 × 3 = 6
に しがはち
2 × 4 = 8
に ご じゅう
2 × 5 = 10
に ろく じゅうに
2 × 6 = 12
に しち じゅうし
2 × 7 = 14
に はち じゅうろく
2 × 8 = 16
に く じゅうはち
2 × 9 = 18

3の段
さん いちがさん
3 × 1 = 3
さん に がろく
3 × 2 = 6
さ ざんがく
3 × 3 = 9
さん し じゅうに
3 × 4 = 12
さん ご じゅうご
3 × 5 = 15
さぶ ろく じゅうはち
3 × 6 = 18
さん しち にじゅういち
3 × 7 = 21
さん ぱ にじゅうし
3 × 8 = 24
さん く にじゅうしち
3 × 9 = 27

4の段
し いちがし
4 × 1 = 4
し に がはち
4 × 2 = 8
し さん じゅうに
4 × 3 = 12
し し じゅうろく
4 × 4 = 16
し ご にじゅう
4 × 5 = 20
し ろく にじゅうし
4 × 6 = 24
し しち にじゅうはち
4 × 7 = 28
し は さんじゅうに
4 × 8 = 32
し く さんじゅうろく
4 × 9 = 36

5の段
ご いちがご
5 × 1 = 5
ご に じゅう
5 × 2 = 10
ご さん じゅうご
5 × 3 = 15
ご し にじゅう
5 × 4 = 20
ご ご にじゅうご
5 × 5 = 25
ご ろく さんじゅう
5 × 6 = 30
ご しち さんじゅうご
5 × 7 = 35
ご は しじゅう
5 × 8 = 40
ご く しじゅうご
5 × 9 = 45

6の段
ろく いちがろく
6 × 1 = 6
ろく に じゅうに
6 × 2 = 12
ろく さん じゅうはち
6 × 3 = 18
ろく し にじゅうし
6 × 4 = 24
ろく ご さんじゅう
6 × 5 = 30
ろく ろくさんじゅうろく
6 × 6 = 36
ろく しち しじゅうに
6 × 7 = 42
ろく は しじゅうはち
6 × 8 = 48
ろっ く ごじゅうし
6 × 9 = 54

7の段
しち いちがしち
7 × 1 = 7
しち に じゅうし
7 × 2 = 14
しち さん にじゅういち
7 × 3 = 21
しち し にじゅうはち
7 × 4 = 28
しち ご さんじゅうご
7 × 5 = 35
しち ろく しじゅうに
7 × 6 = 42
しち しち しじゅうく
7 × 7 = 49
しち は ごじゅうろく
7 × 8 = 56
しち く ろくじゅうさん
7 × 9 = 63

8の段
はち いちが はち
8 × 1 = 8
はち に じゅうろく
8 × 2 = 16
はち さん にじゅうし
8 × 3 = 24
はち し さんじゅうに
8 × 4 = 32
はち ご しじゅう
8 × 5 = 40
はち ろくしじゅうはち
8 × 6 = 48
はち しち ごじゅうろく
8 × 7 = 56
はっ ぱ ろくじゅうし
8 × 8 = 64
はっ く しちじゅうに
8 × 9 = 72

9の段
く いちがく
9 × 1 = 9
く に じゅうはち
9 × 2 = 18
く さん にじゅうしち
9 × 3 = 27
く し さんじゅうろく
9 × 4 = 36
く ご しじゅうご
9 × 5 = 45
く ろく ごじゅうし
9 × 6 = 54
く しち ろくじゅうさん
9 × 7 = 63
く は しちじゅうに
9 × 8 = 72
く く はちじゅういち
9 × 9 = 81

エリア1
九九

タカタ先生がパプリカの曲に合わせて九九が覚えられる動画をつくったよ。パプリカをおどりながら九九が歌えたら完璧だ！

パプリカ替え歌
九九のうた

https://frstp.jp/anzan99

チャレンジ！

エリア1
攻略計算ゲーム
https://frstp.jp/anzan1

制限時間：30秒
合格ライン：10問正解
計算王レベル：20問正解
タカタ先生に勝てるかな？

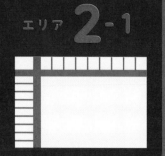

エリア **2-1**

瞬速暗算マスター

□×10

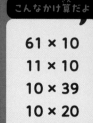

こんなかけ算だよ

61 × 10
11 × 10
10 × 39
10 × 20

難易度 ★★★★★　　天才度 ★★★★★　　実用度 ★★★★★

解説

コレは超簡単だね！

［□×10］や［10×□］は、□の右はしに0を1コつけるだけ！

例題

$$5 × 10 = \boxed{}$$

▼

そのまま

$$5 × 10 = \boxed{5}\ \boxed{0}$$

右はしに0を1つつける

□×100や100×□なら、□の右はしに0を2つつけるだけ！

例題

$$100 × 67 = \boxed{}$$

▼

そのまま

$$100 × 67 = \boxed{6}\ \boxed{7}\ \boxed{0}\ \boxed{0}$$

右はしに0を2つつける

□ が小数の場合は、小数点を右に１つずらせばOK。

例題　　0.12 × 10 = ☐

そのまま

0.12 × 10 = 1 . 2

小数点を右に1つずらす

練習問題

次の式をエリア2-1の裏技をつかって解いてみよう！ ➡ 答えは86ページ

1 3 × 10 = ☐

そのまま

3 × 10 = ㋐☐ 0

そのまま

2 10 × 7 = ☐

10 × 7 = ㋑☐ ㋒

3 29 × 10 = ☐

29 × 10 = ㋓☐ ㋔☐ ㋕

4 10 × 83 = ☐

10 × 83 = ㋖☐

5 5.6 × 10 = ☐

そのまま

5.6 × 10 = ㋗☐ ㋘

小数点を右に1つずらす

6 10 × 0.47 = ☐

10 × 0.47 = ㋙☐ . ㋚

小数点を右に1つずらす

敏速暗算マスター
1ケタ×11

難易度 ★☆☆☆☆　　天才度 ★☆☆☆☆　　実用度 ★★★★★

解説

コレも超簡単だね！
［1ケタ×11］や［11×1ケタ］は、1ケタの数を2つ並べればOK。

例題　$7 \times 11 = \boxed{}$

そのまま

$7 \times 11 = \boxed{7}\,\boxed{7}$

2つ並べる

ちなみに、
1ケタ×111 や 111×1ケタ なら、1ケタの数を3つ並べればOK。
1ケタ×1111 や 1111×1ケタ なら、1ケタの数を4つ並べればOK。

例題　$111 \times 3 = \boxed{}$

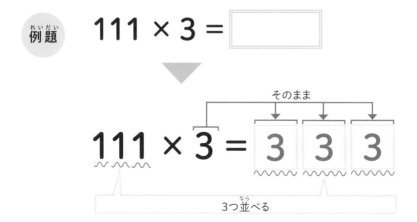

そのまま

$111 \times 3 = \boxed{3}\,\boxed{3}\,\boxed{3}$

3つ並べる

次の式をエリア2-2の裏技をつかって解いてみよう！ ➡ 答えは86ページ

1 $8 \times 11 = $ 　　　

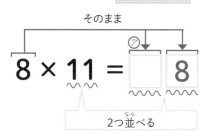

そのまま

$8 \times 11 = $ ⓐ　[ ] [8]

2つ並べる

2 $11 \times 9 = $ 　　　

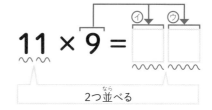

$11 \times 9 = $ ⓘ　ⓒ

2つ並べる

3 $5 \times 11 = $ 　　　

$5 \times 11 = $ ⓔ
[ ]

4 $11 \times 4 = $ 　　　

$11 \times 4 = $ ⓞ
[ ]

5 $2 \times 111 = $ 　　　

$2 \times 111 = $ ⓚ ⓖ ⓜ
[ ] [ ] [ ]

6 $111 \times 4 = $ 　　　

$111 \times 4 = $ ⓠ ⓢ ⓤ
[ ] [ ] [ ]

7 $6 \times 1111 = $ 　　　

$6 \times 1111 = $ ⓢ
[ ]

8 $1111 \times 8 = $ 　　　

$1111 \times 8 = $ ⓢ
[ ]

迅速暗算マスター
2ケタ×11
（くりあがりなし）

こんなかけ算だよ

24 × 11
13 × 11
11 × 81
11 × 54

難易度 ★★☆☆☆　天才度 ★★☆☆☆　実用度 ★★★★★

解 説

さあ、ここからが本番だ！

少しだけ難しくなるけど、落ち着いて考えればすぐ理解できるから安心してね。やり方を2つ紹介するぞ。

やり方1 でできる人は、やり方1 をマスターしよう。

やり方1 が難しい人は、最初は やり方2 で練習だ。

やり方2 が慣れれば、やり方1 もできるようになってるはず。

最終的には やり方1 のマスターを目指そう！

例題

やり方1

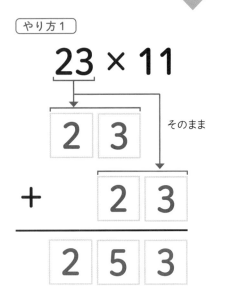

やり方2

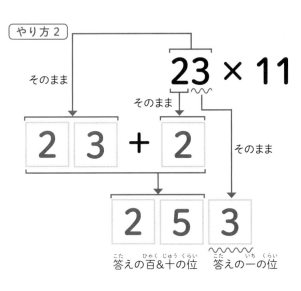

答えの百&十の位　答えの一の位

2ケタ×11 や 11×2ケタ は、頭の中で2ケタと2ケタをズラして足そう。

2ケタ＋2ケタの十の位（答えの百&十の位）、1ケタの一の位（答えの一の位）になるよ。

次の式をエリア2-3の裏技の やり方1 と やり方2 をつかって解いてみよう！

➡答えは86ページ

1 35 × 11 = [   ]

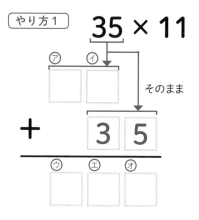

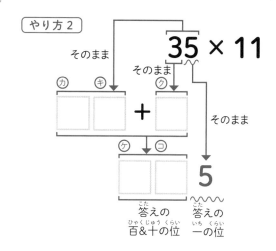

2 11 × 43 = [   ]

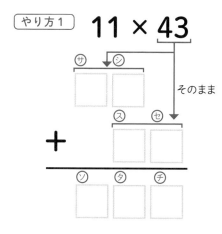

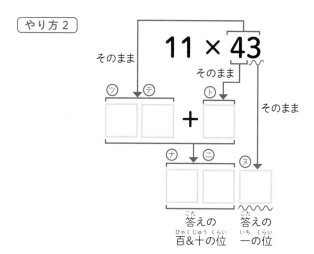

3 24 × 11 = [   ]

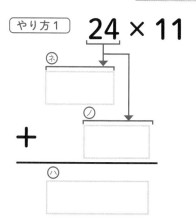

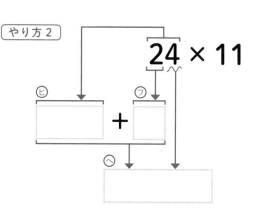

楽速暗算マスター

2ケタ×11
（くりあがりあり）

こんなかけ算だよ

29 × 11
66 × 11
11 × 38
11 × 92

難易度 ★★☆☆☆　　天才度 ★★☆☆☆　　実用度 ★★★★★

解 説

［2ケタ×11］や［11×2ケタ］は、くりあがりが発生する場合があるぞ！
でも、さっきとやり方は同じだから、落ち着いてやれば大丈夫だ。

例題　56 × 11 ＝ 　　

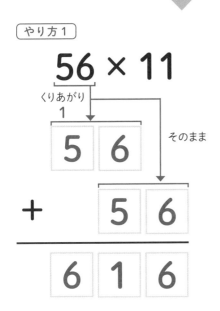

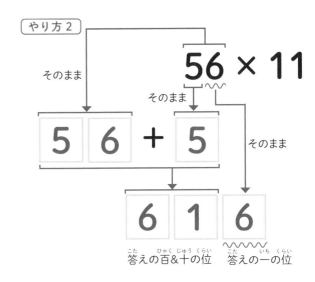

練習問題

次の式をエリア2-4の裏技の やり方1 と やり方2 をつかって解いてみよう！

➡ 答えは86ページ

1 78 × 11 = ☐

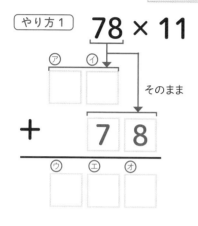

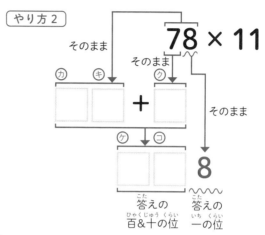

2 11 × 86 = ☐

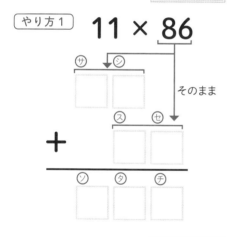

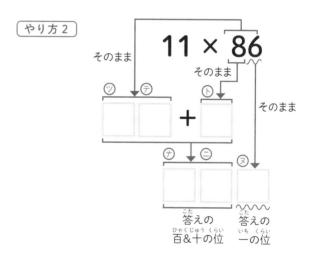

3 48 × 11 = ☐

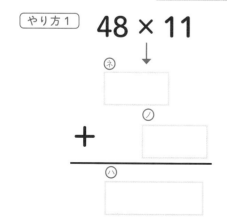

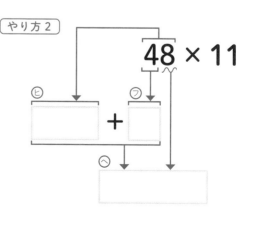

エリア**2**
×10 & ×11の暗算

35

バク速暗算テスト
初級編

記録		
1回目	点	秒
2回目	点	秒
3回目	点	秒

合格ライン　30秒で全問正解　計算王レベル　15秒で全問正解

次の問題をエリア2の裏技を用いて暗算で解いてみよう。　1問10点 ➡ 答えは86ページ

1 3 × 10 =

2 10 × 6 =

3 57 × 10 =

4 10 × 91 =

5 4 × 70 =

6 30 × 8 =

7 3 × 11 =

8 11 × 8 =

9 20 × 11 =

10 11 × 70 =

[1ケタ×□0] や [□0 × 11] も同じようにできるよ！

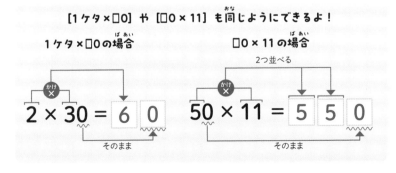

1ケタ×□0の場合

□0 × 11の場合

2つ並べる

2 × 30 = 6 0
そのまま

50 × 11 = 5 5 0
そのまま

エリア2

バク速暗算テスト
中級編

合格ライン 60秒で全問正解　計算王レベル 30秒で全問正解

次の問題をエリア2の裏技を用いて暗算で解いてみよう。　1問10点 ➡ 答えは87ページ

1 $23 \times 11 =$ 　　　　　　　 **2** $11 \times 34 =$

3 $42 \times 11 =$ 　　　　　　　 **4** $11 \times 54 =$

5 $61 \times 11 =$ 　　　　　　　 **6** $11 \times 72 =$

7 $81 \times 11 =$ 　　　　　　　 **8** $11 \times 36 =$

9 $52 \times 11 =$ 　　　　　　　 **10** $11 \times 71 =$

エリア2
×10 & ×11の暗算

やった〜！
くりあがりがないから
簡単だね！

バク速暗算テスト
上級編

記録
1回目	点	秒
2回目	点	秒
3回目	点	秒

合格ライン　90秒で全問正解　計算王レベル　45秒で全問正解

次の問題をエリア2の裏技を用いて暗算で解いてみよう。　1問10点 ➡答えは87ページ

1 $29 \times 11 =$

2 $11 \times 37 =$

3 $49 \times 11 =$

4 $11 \times 56 =$

5 $67 \times 11 =$

6 $11 \times 75 =$

7 $86 \times 11 =$

8 $11 \times 97 =$

9 $47 \times 11 =$

10 $11 \times 89 =$

くりあがりに注意しよう！
目指せ、全問正解！

11×11の1の個数を増やしてみた

1や11や111や1111のように
1だけでつくられた数を「レピュニット数」というんだ！
そして「レピュニット数」のかけ算には
アンビリーバボーな法則が隠れてるんだぜ！

まずは 11 × 11 や 111 × 111 や 1111 × 1111 を
電卓で計算してみてくれ！

$$11×11 = 121$$
$$111×111 = 12321$$
$$1111×1111 = 1234321$$

アンビリ──バボ──！
数字のピラミッドの完成だ〜！
1は9コまで増やしてOK。

$$111111111×111111111$$
$$= 12345678987654321$$

ワンダホー！

チャレンジ！

エリア2
攻略計算ゲーム

https://frstp.jp/anzan2

制限時間：45秒
合格ライン：5問正解
計算王レベル：10問正解
タカタ先生に勝てるかな？

メガ速暗算マスター

2ケタ×1ケタ
（くりあがりなし）

こんなかけ算だよ

52 × 8
29 × 3
4 × 66
6 × 24

| 難易度 | ★★☆☆☆ | 天才度 | ★★☆☆☆ | 実用度 | ★★★★☆ |

解説

さあ、ここからさらに難易度が上がるぞ！
でも落ち着いて考えれば、すぐ理解できるから安心してね。
［2ケタ×1ケタ］や［1ケタ×2ケタ］は、頭の中で積と積をズラして足そう。

例題 7 × 24 = ☐

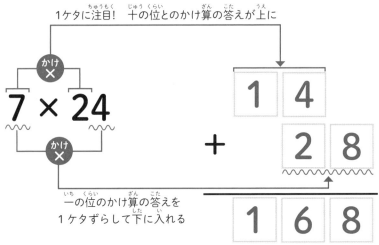

1ケタに注目！ 十の位とのかけ算の答えが上に

かけ×

$7 × 24$

かけ×

一の位のかけ算の答えを
1ケタずらして下に入れる

```
   1 4
 + 2 8
 ─────
   1 6 8
```

「たし算の答え」を「和」
「かけ算の答え」を「積」
というんだ！

練習問題

次の式をエリア3-1の裏技をつかって解いてみよう！ ➡答えは87ページ

1 32 × 8 = ⬚

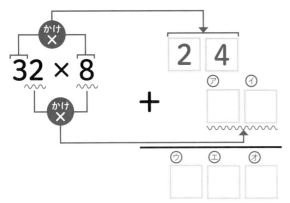

2 3 × 48 = ⬚

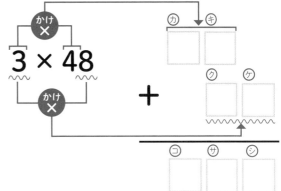

3 98 × 7 = ⬚

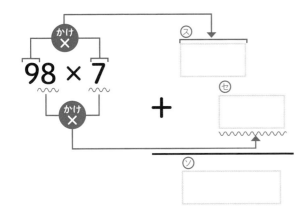

4 5 × 64 = ⬚

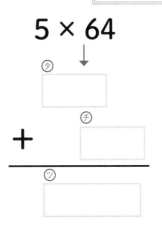

5 48 × 6 = ⬚

$$48 × 6$$

㋒ ⬚

+ ㋐ ⬚

──────

㋩ ⬚

6 3 × 27 = ⬚

$$3 × 27 = ㋤ ⬚$$

エリア**3**

２ケタ×１ケタの暗算

41

ギガ速暗算マスター

2ケタ×1ケタ
(くりあがりあり)

難易度	★★☆☆☆	天才度	★★☆☆☆	実用度	★★★★☆

解説

[2ケタ×1ケタ]や[1ケタ×2ケタ]は、くりあがりが発生する場合がある
ぞ!

でも、さっきとやり方は同じだから、落ち着いてやれば大丈夫だ。
頭の中で積と積をズラして足そう。

例題 　7 × 45 = ▭

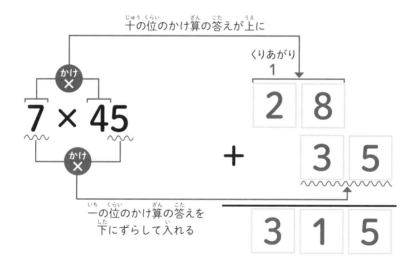

十の位のかけ算の答えが上に

くりあがり
1

かけ× 7 × 45 かけ×

2 8
+ 3 5
―――――
3 1 5

一の位のかけ算の答えを
下にずらして入れる

くりあがりを
クリアで
一丁あがり!

次の式をエリア3-2の裏技をつかって解いてみよう！　➡答えは87ページ

1 38 × 6 = ☐

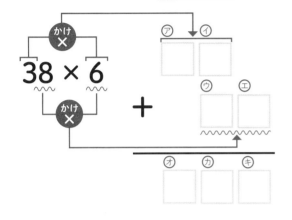

2 7 × 89 = ☐

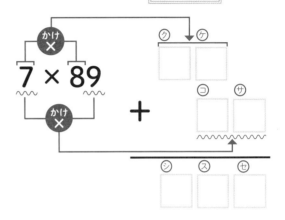

3 65 × 8 = ☐

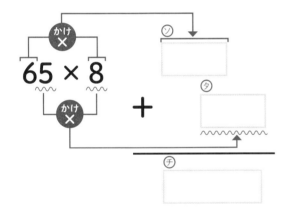

4 9 × 56 = ☐

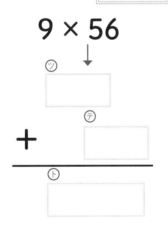

5 38 × 3 = ☐

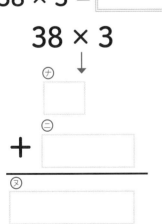

6 4 × 77 = ☐

4 × 77 = ㋬☐

テラ速暗算マスター
2ケタ×1ケタ
（一の位の積が1ケタ）

こんなかけ算だよ

61 × 6
33 × 3
4 × 92
5 × 91

難易度 ★★☆☆☆　　天才度 ★★☆☆☆　　実用度 ★★★★☆

解説

　［2ケタ×1ケタ］や［1ケタ×2ケタ］では、一の位のかけ算の答えが1ケタになる場合があるよ。

　十の位を0と考えると、これまで同じやり方でできるぞ。

例題　　$3 × 42 = \boxed{}$

やり方1

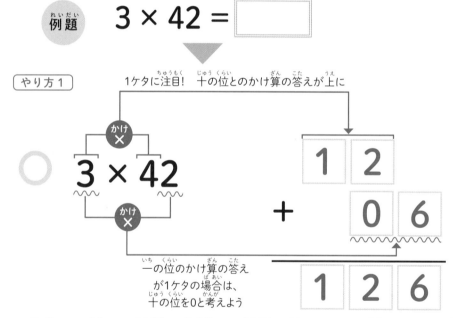

　以下は、正しい暗算と間違った暗算の例。どこが違うかよく見てみよう！

一の位のかけ算がすぐに１ケタだとわかった場合は、以下のように計算したほうが早くなるよ。

やり方2

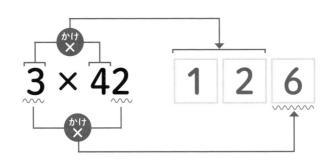

練習問題

次の式をエリア3-3の裏技を やり方1 と やり方2 をつかって解いてみよう！

➡ 答えは87ページ

1 21 × 8 = ☐

やり方1

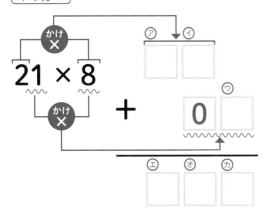

やり方2

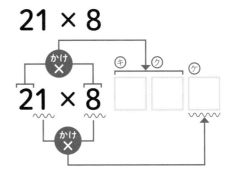

2 52 × 3 = ☐

やり方1

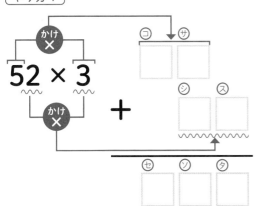

やり方2

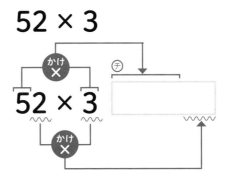

バク速暗算テスト
初級編

記録

1回目	点	秒
2回目	点	秒
3回目	点	秒

合格ライン　60秒で全問正解　　計算王レベル　30秒で全問正解

次の問題をエリア3の裏技を用いて暗算で解いてみよう。　1問10点 ➡答えは87ページ

1 34 × 2　=

2 3 × 53　=

3 72 × 4　=

4 4 × 81　=

5 91 × 7　=

6 2 × 53　=

7 32 × 30 =

8 90 × 71 =

9 62 × 20 =

10 40 × 52 =

2ケタ×□0もマスターしよう！

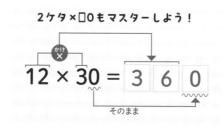

12 × 30 = 3 6 0

そのまま

エリア**3**

バク速暗算テスト
中級編

記録

	点	秒
1回目	点	秒
2回目	点	秒
3回目	点	秒

合格ライン **90秒で全問正解** 計算王レベル **45秒で全問正解**

次の問題をエリア3の裏技を用いて暗算で解いてみよう。 1問10点 ➡ 答えは88ページ

1 69 × 2 =

2 3 × 47 =

3 59 × 4 =

4 5 × 73 =

5 82 × 6 =

6 7 × 93 =

7 74 × 80 =

8 90 × 63 =

9 97 × 50 =

10 80 × 86 =

エリア**3**

２ケタ×１ケタの暗算

やった〜！
くりあがりがないから
簡単だね！

エリア**3**

バク速暗算テスト
上級編

合格ライン　**90秒で全問正解**　計算王レベル　**45秒で全問正解**

次の問題をエリア3の裏技を用いて暗算で解いてみよう。　1問10点 ➡ 答えは88ページ

1 37 × 3 =

2 4 × 28 =

3 38 × 6 =

4 7 × 74 =

5 69 × 8 =

6 9 × 48 =

7 79 × 40 =

8 80 × 77 =

9 26 × 90 =

10 60 × 68 =

くりあがりに注意しよう！
目指せ、全問正解！

2ケタ×1ケタを昔の計算機で計算してみた

17世紀に発明された計算道具「ネイピアの骨」を知ってるかい？
右のように細長い棒に九九の答えが書いてあるんだぜ！
左上が十の位、右下が一の位なのがポイントだ。

1	2	3	4	5	6	7	8	9	0
0/2	0/4	0/6	0/8	1/0	1/2	1/4	1/6	1/8	0/0
0/3	0/6	0/9	1/2	1/5	1/8	2/1	2/4	2/7	0/0
0/4	0/8	1/2	1/6	2/0	2/4	2/8	3/2	3/6	0/0
0/5	1/0	1/5	2/0	2/5	3/0	3/5	4/0	4/5	0/0
0/6	1/2	1/8	2/4	3/0	3/6	4/2	4/8	5/4	0/0
0/7	1/4	2/1	2/8	3/5	4/2	4/9	5/6	6/3	0/0
0/8	1/6	2/4	3/2	4/0	4/8	5/6	6/4	7/2	0/0
0/9	1/8	2/7	3/6	4/5	5/4	6/3	7/2	8/1	0/0

試しに24×7をネイピアの骨で計算してみよう！
［24］は［2の棒］と［4の棒］をセットし、［×7］は上から7行目に注目しよう。
右の図のように計算すると、それぞれの位の数字がわかるんだ。
［2ケタ×1ケタ］のバク速奥義とソックリだぜ！

1	2	4
2	0/4	0/8
3	0/6	1/2
4	0/8	1/6
5	1/0	2/0
6	1/2	2/4
7	1/4	2/8
8	1/6	3/2
9	1/8	3/6

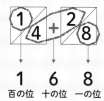

1 4 ＋ 2 8

→ 1 6 8

百の位　十の位　一の位

チャレンジ！

エリア3
攻略計算ゲーム
https://frstp.jp/anzan3

制限時間：45秒
合格ライン：5問正解
計算王レベル：10問正解
タカタ先生に勝てるかな？

びょうそくあんざん
秒速暗算マスター

11×11〜19×19
（くりあがりなし）

難易度 ★★☆☆☆　　天才度 ★★★☆☆　　実用度 ★★★★☆

解説

バク速暗算で最も伝えたかったのがこの［11 × 11〜19 × 19］だ！
覚え方は「和と積をズラして足す」だ！

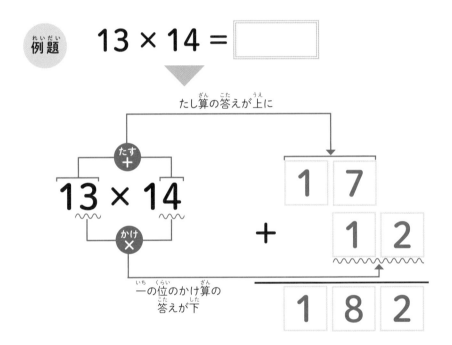

例題　13 × 14 ＝

たし算の答えが上に

13 × 14

一の位のかけ算の
答えが下

1	7	
＋	1	2
1	8	2

上にくるのは
［左の数］＋［右の一の位］
だね！

練 習 問 題

次の式をエリア4-1の裏技をつかって解いてみよう！ ➡答えは88ページ

1 14 × 16 = 　　　

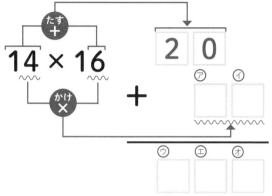

2 17 × 15 = 　　　

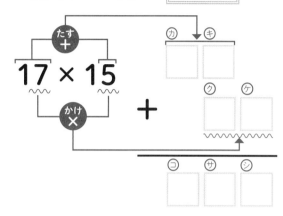

3 12 × 19 = 　　　

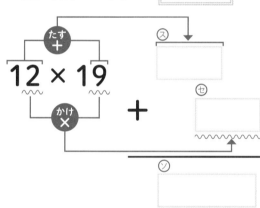

4 18 × 13 = 　　　

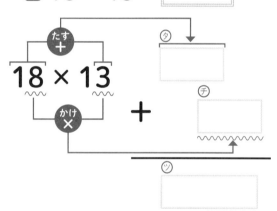

5 14 × 18 = 　　　

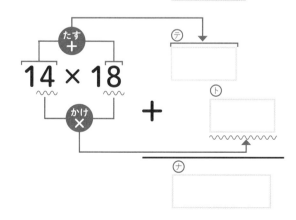

6 15 × 15 = 　　　

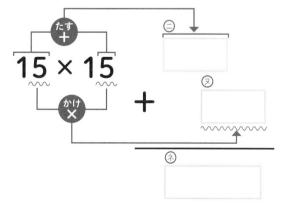

7 12 × 12 = ⬚

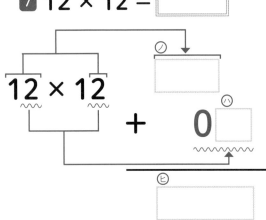

8 16 × 16 = ⬚

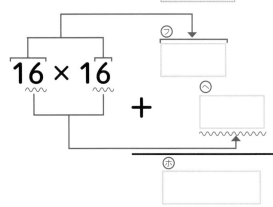

9 19 × 15 = ⬚

19 × 15   ㋬ ⬚

     +   ㋳ ⬚

       ㋞ ⬚

10 16 × 18 = ⬚

16 × 18   ㋘ ⬚

     +   ㋲ ⬚

       ㋓ ⬚

11 15 × 17 = ⬚

15 × 17 =   ㋙ ⬚

12 16 × 17 = ⬚

16 × 17 =   ㋦ ⬚

こんなかけ算だよ

17 × 18
19 × 17
18 × 19
15 × 14

おんそくあんざん
音速暗算マスター
11×11〜19×19
（くりあがりあり）

難易度 ★★☆☆☆   天才度 ★★★☆☆   実用度 ★★★★☆

解説

[11 × 11〜19 × 19] は、ズラして足すときにくりあがりが発生する場合もあるぞ！

でも、さっきとやり方は同じだから、落ち着いてやれば大丈夫だ。

れいだい
例題   16 × 19 = ☐

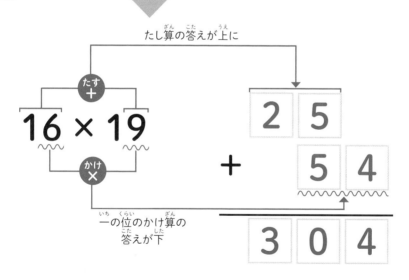

たし算の答えが上に

たす **+**

16 × 19

かけ **×**

一の位のかけ算の
答えが下

	2	5	
+		5	4
	3	0	4

エリア **4**

11
×
11
〜
19
×
19
の暗算

くりあがりを
クリアで
一丁あがり！

練習問題

次の式をエリア4-2の裏技をつかって解いてみよう！ ➡答えは88ページ

1 12 × 17 =

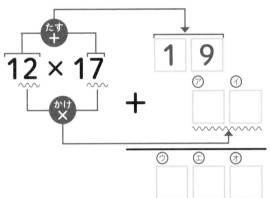

2 16 × 13 =

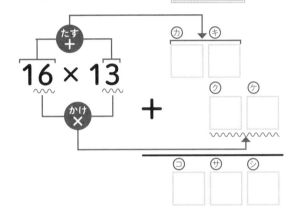

3 17 × 18 =

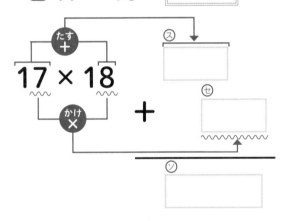

4 19 × 16 =

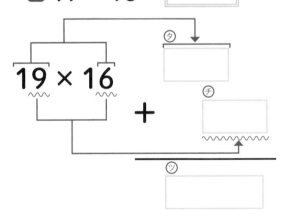

5 17 × 19 =

17 × 19

㋢

+ ㋣

㋤

6 19 × 18 =

19 × 18 = ㋥

■

こうそくあんざん
光速暗算マスター
11×11〜19×19
いち くらい せき
（一の位の積が1ケタ）

こんなかけ算だよ
11 × 16
12 × 14
13 × 13
14 × 11

難易度 ★★☆☆☆　天才度 ★★★☆☆　実用度 ★★★★☆

解説 かいせつ

　エリア3-3の裏技（→44ページ）と同じように、一の位のかけ算の答えが1ケタになる場合があるよ。

例題 れいだい

$$12 \times 13 = \boxed{}$$

▼

やり方1

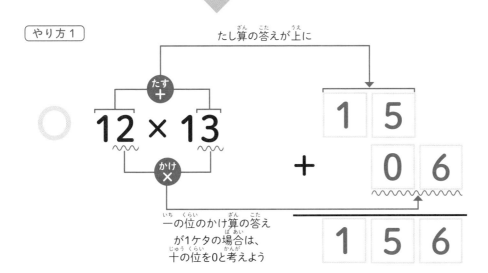

たし算の答えが上に

○ たす + 12 × 13 かけ ×

一の位のかけ算の答え
が1ケタの場合は、
十の位を0と考えよう

$$\begin{array}{cc} 1 & 5 \\ + 0 & 6 \\ \hline 1 & 5 & 6 \end{array}$$

した かた ようちゅうい
下の×のやり方にならないように要注意だ！

3×2の答え6を書く位置が
間違っている

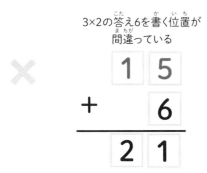

$$\times \quad \begin{array}{cc} 1 & 5 \\ + & 6 \\ \hline 2 & 1 \end{array}$$

3×2の答え6の右に0を
書いている

$$\times \quad \begin{array}{ccc} 1 & 5 \\ + & 6 & 0 \\ \hline 2 & 1 & 0 \end{array}$$

一の位のかけ算がすぐに1ケタだとわかった場合は、以下のように計算したほうが早くなるよ。

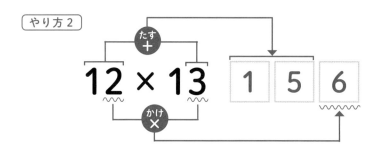

練習問題

次の式をエリア4-3の裏技を やり方1 と やり方2 をつかって解いてみよう！

➡ 答えは88ページ

1 13 × 12 = ☐

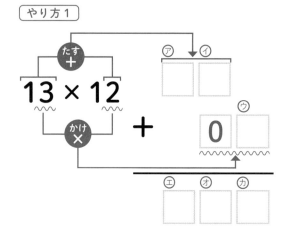

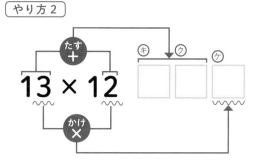

2 14 × 12 = ☐

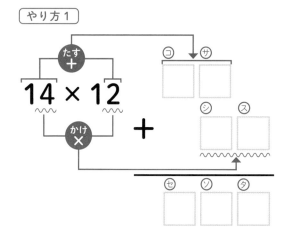

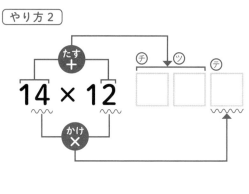

3 13 × 13 = ▢

やり方 1

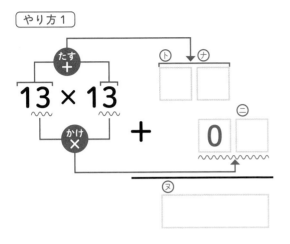

13 × 13

たす +

かけ ×

ト ナ

＋

0 ⊟

ヌ

やり方 2

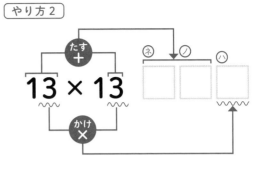

13 × 13

たす +

かけ ×

ネ ノ ハ

4 11 × 15 = ▢

やり方 1

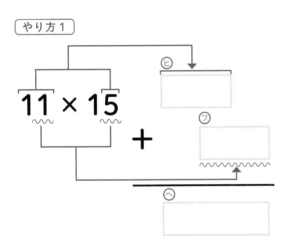

11 × 15

ヒ

＋

フ

ヘ

やり方 2

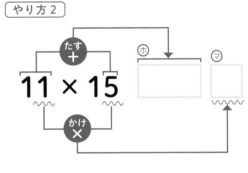

11 × 15

たす +

かけ ×

ホ マ

5 18 × 11 = ▢

やり方 1

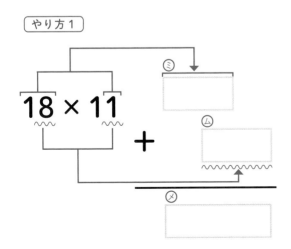

18 × 11

ミ

＋

ム

メ

やり方 2

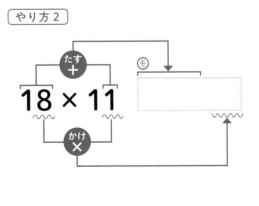

18 × 11

たす +

かけ ×

モ

バク速暗算テスト
初級編

記録

1回目	点	秒
2回目	点	秒
3回目	点	秒

合格ライン　60秒で全問正解　　計算王レベル　30秒で全問正解

次の問題をエリア4の裏技を用いて暗算で解いてみよう。　1問10点 ➡答えは89ページ

1 12 × 12 = 　　　　　　　　　**2** 11 × 16 =

3 13 × 12 = 　　　　　　　　　**4** 11 × 18 =

5 12 × 14 = 　　　　　　　　　**6** 17 × 11 =

7 13 × 13 = 　　　　　　　　　**8** 19 × 11 =

9 14 × 12 = 　　　　　　　　　**10** 12 × 13 =

ラッキー！
一の位のかけ算の答えが
1ケタだ！

エリア4

バク速暗算テスト
中級編

記録
1回目	点	秒
2回目	点	秒
3回目	点	秒

合格ライン 90秒で全問正解　　計算王レベル 45秒で全問正解

次の問題をエリア4の裏技を用いて暗算で解いてみよう。　1問10点 ➡ 答えは89ページ

1 12 × 16 = 　　　　　　　**2** 17 × 13 =

3 14 × 14 = 　　　　　　　**4** 19 × 15 =

5 16 × 18 = 　　　　　　　**6** 15 × 17 =

7 18 × 12 = 　　　　　　　**8** 13 × 19 =

9 17 × 17 = 　　　　　　　**10** 13 × 15 =

エリア
4

11
×
11
〜
19
×
19
の暗算

やった〜！
ズラして足すときに、
くりあがりがないから
簡単だ！

59

エリア 4

バク速暗算テスト
上級編

合格ライン　90秒で全問正解　　計算王レベル　45秒で全問正解

次の問題をエリア4の裏技を用いて暗算で解いてみよう。　1問10点 ➡ 答えは89ページ

1 $12 \times 17 =$ 　　　　2 $18 \times 18 =$

3 $19 \times 16 =$ 　　　　4 $15 \times 14 =$

5 $17 \times 18 =$ 　　　　6 $19 \times 19 =$

7 $16 \times 13 =$ 　　　　8 $19 \times 17 =$

9 $18 \times 19 =$ 　　　　10 $16 \times 19 =$

ズラして足すときに
くりあがりが発生するぞ！
要注意！

エリア4のバク速奥義を 長方形の面積で エレガント解説

13 × 14はバク速奥義をつかうと――。

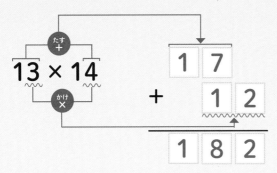

つまり、

13 × 14 = (13 + 4) × 10 + 3 × 4 = 170 + 12 = 182

ってことですわね。

ではなぜ13 × 14 = (13 + 4) × 10 + 3 × 4になるのか？

13 × 14をタテ13cm、ヨコ14cmの長方形と考えると、

エレガントですわ～！！

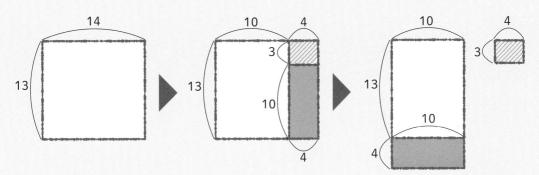

エリア**4**

11×11～19×19の暗算

チャレンジ！

エリア4
攻略計算ゲーム

https://frstp.jp/anzan4

制限時間：45秒
合格ライン：5問正解
計算王レベル：10問正解
タカタ先生に勝てるかな？

快速暗算マスター

十の位が同じ 2ケタのかけ算
（くりあがりなし）

こんなかけ算だよ

54 × 53
34 × 34
62 × 65
22 × 28

難易度 ★★★★☆　天才度 ★★★★☆　実用度 ★★☆☆☆

解　説

　いよいよバク速暗算の究極奥義だ。正直これは激ムズ！　しか〜し！　これまで習ってきたバク速奥義を駆使すれば、完全マスターも夢じゃない！

　ポイントはエリア3の［2ケタ×1ケタ］の計算。コレを暗算でスラスラ解けるようになった勇者のみがこの先に進むことができる。

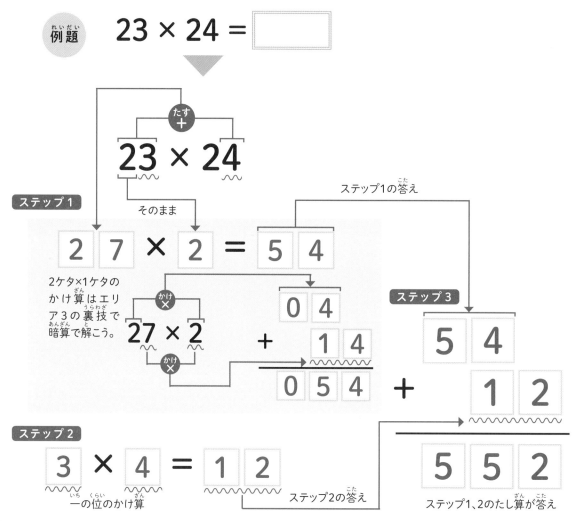

例題　23 × 24 = ☐

ステップ1

たす＋

23 × 24

そのまま

2 7 × 2 = 5 4

ステップ1の答え

2ケタ×1ケタのかけ算はエリア3の裏技で暗算で解こう。

27 × 2

かけ×　かけ×

ステップ2

3 × 4 = 1 2

一の位のかけ算

ステップ2の答え

0 4
+ 1 4
0 5 4

ステップ3

5 4
+ 1 2
5 5 2

ステップ1、2のたし算が答え

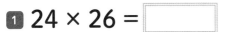

練習問題

次の式をエリア5-1の裏技をつかって解いてみよう！ → 答えは89ページ

1 24 × 26 =

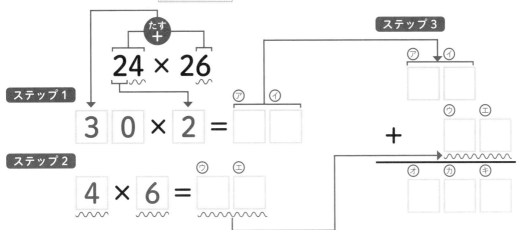

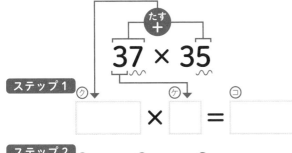

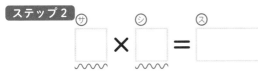

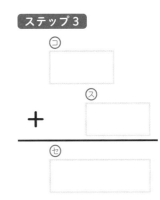

2 37 × 35 =

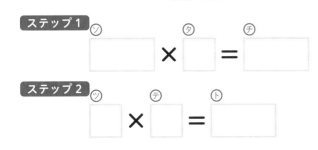

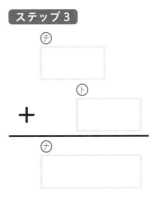

3 42 × 49 =

ステップ1 ⊘ ⊘ ⊖

ステップ2 ⊘ ⊖ ⊖

ステップ3 ⊖

\+ ⊖

⊕

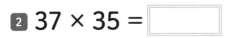

急行暗算マスター

十の位が同じ 2ケタのかけ算 (くりあがりあり)

こんなかけ算だよ

46 × 48
58 × 59
76 × 78
99 × 99

難易度 ★★★★★　天才度 ★★★★☆　実用度 ★★☆☆☆

解説

十の位が同じ2ケタのかけ算はズラして足すときにくりあがりが発生する場合もあるぞ。

でも、エリア5-1とやり方は同じだから、落ち着いてやれば大丈夫だ！

例題　29 × 28 = ☐

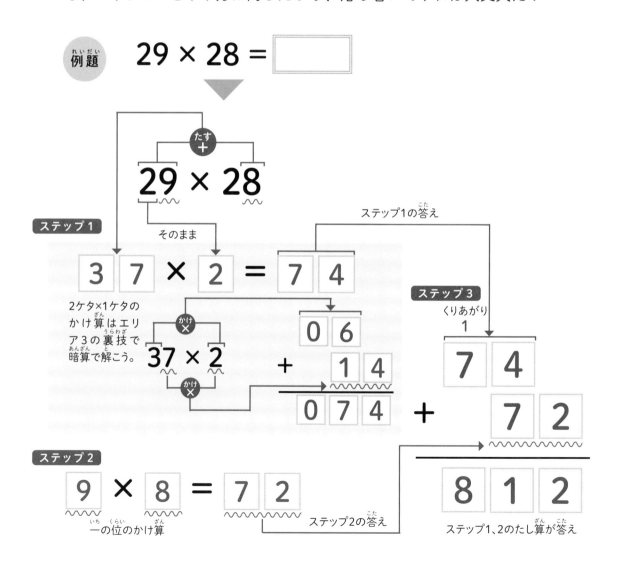

ステップ1

たす ＋

29 × 28

そのまま

37 × 2 = 74　ステップ1の答え

2ケタ×1ケタのかけ算はエリア3の裏技で暗算で解こう。

かけ ×

37 × 2

かけ ×

0 6
＋ 1 4
0 7 4

ステップ3

くりあがり 1

7 4

＋ 7 2

8 1 2

ステップ1、2のたし算が答え

ステップ2

9 × 8 = 7 2

一の位のかけ算

ステップ2の答え

練習問題

次の式をエリア5-2の裏技をつかって解いてみよう！ ➡ 答えは89ページ

1 36 × 37 = ☐

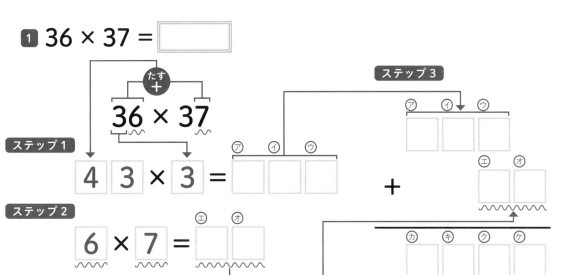

2 29 × 29 = ☐

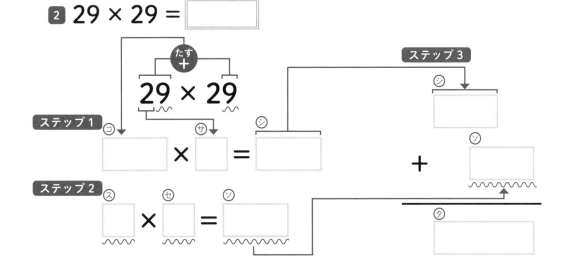

3 46 × 48 = ☐

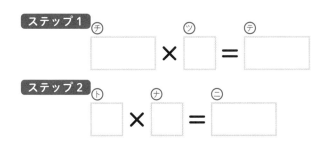

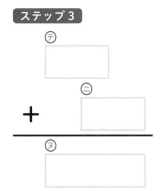

エリア**5** ＋の位が同じ2ケタの暗算

3 59 × 56 = ☐

ステップ1
(ネ)☐ × (ノ)☐ = (ハ)☐

ステップ2
(ヒ)☐ × (フ)☐ = (ヘ)☐

ステップ3
(ハ)☐
+ (ヘ)☐
――――
(ホ)☐

3 67 × 69 = ☐

ステップ1
(マ)☐ × (ミ)☐ = (ム)☐

ステップ2
(メ)☐ × (モ)☐ = (ヤ)☐

ステップ3
(ム)☐
+ (ヤ)☐
――――
(ヨ)☐

3 79 × 78 = ☐

ステップ1
(ヨ)☐ × (ラ)☐ = (リ)☐

ステップ2
(ル)☐ × (レ)☐ = (ロ)☐

ステップ3
(リ)☐
+ (ロ)☐
――――
(ワ)☐

これまでにマスターした技を
フル活用だ！

特急暗算マスター

十の位が同じ 2ケタのかけ算
（一の位の積が1ケタ）

32 × 31
62 × 63
23 × 23
77 × 71

難易度 ★★★★★　天才度 ★★★★☆　実用度 ★★☆☆☆

解説

　十の位が同じ2ケタのかけ算では、ステップ2の一の位のかけ算の答えが1ケタになる場合がある。

　十の位を0と考えると、これまで同じやり方でできるぞ。

　以下は、正しい暗算と間違った暗算の例。どこが違うかよく見てみよう！

例題　22 × 24 =

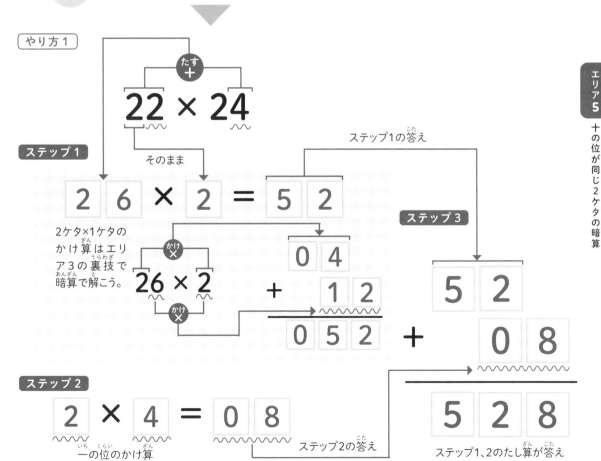

やり方1

たす +

22 × 24

そのまま

ステップ1

2 6 × 2 = 5 2

2ケタ×1ケタのかけ算はエリア3の裏技で暗算で解こう。

ステップ1の答え

かけ ×
26 × 2
かけ ×

0 4
+ 1 2
0 5 2

ステップ3

5 2

+ 0 8

ステップ2

2 × 4 = 0 8

一の位のかけ算

ステップ2の答え

5 2 8

ステップ1、2のたし算が答え

2×4の答え8を書く位置が間違っている　　　2×4の答え8の右に0を書いている

ステップ2の一の位のかけ算がすぐに1ケタだとわかった場合は、以下のように計算したほうが早くなるよ。

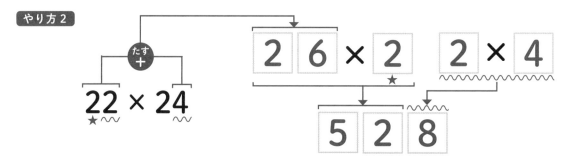

やり方2

練 習 問 題

次の式をエリア5-3の裏技を やり方1 と やり方2 をつかって解いてみよう！

➡ 答えは90ページ

1 32 × 33 = ☐

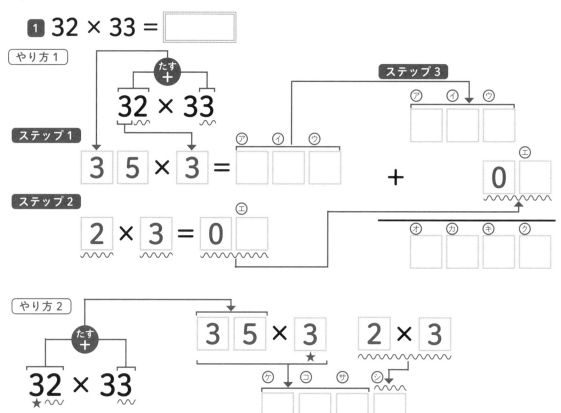

2 21 × 22 = ⬚

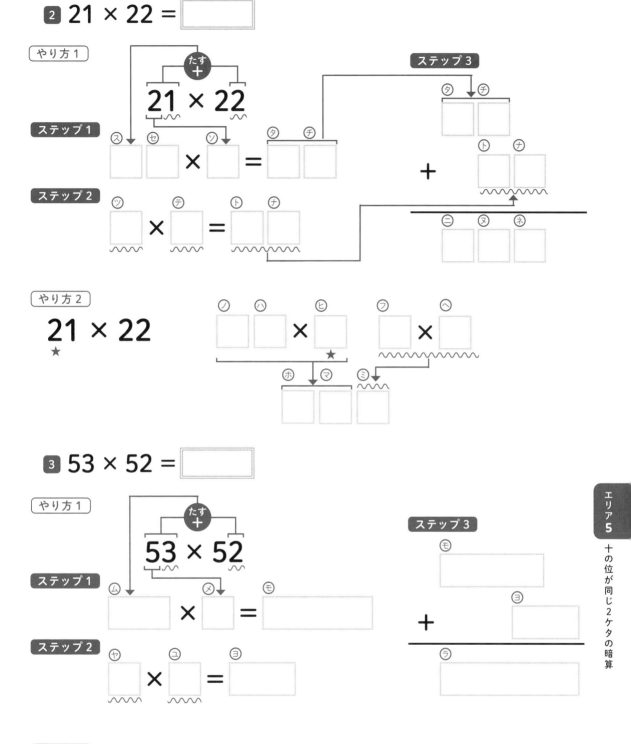

やり方1

やり方2
21 × 22
★

3 53 × 52 = ⬚

やり方1

やり方2
53 × 52

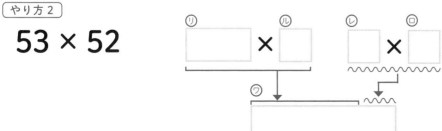

エリア**5**

バク速暗算テスト
初級編

記録

1回目	点	秒
2回目	点	秒
3回目	点	秒

合格ライン **150秒で全問正解**　計算王レベル **75秒で全問正解**

次の問題をエリア5の裏技を用いて暗算で解いてみよう。　1問10点 ➡ 答えは90ページ

1 $22 \times 22 =$ 　　　　　**2** $31 \times 36 =$

3 $43 \times 42 =$ 　　　　　**4** $51 \times 58 =$

5 $62 \times 64 =$ 　　　　　**6** $77 \times 71 =$

7 $83 \times 83 =$ 　　　　　**8** $99 \times 91 =$

9 $54 \times 52 =$ 　　　　　**10** $72 \times 73 =$

ラッキー！
一の位のかけ算の答えが
1ケタだ！

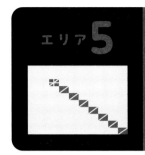

バク速暗算テスト
中級編

記録

	点	秒
1回目	点	秒
2回目	点	秒
3回目	点	秒

合格ライン **240秒で全問正解**　計算王レベル **120秒で全問正解**

次の問題をエリア5の裏技を用いて暗算で解いてみよう。　1問10点 ➡ 答えは90ページ

1 $22 \times 26 =$

2 $38 \times 33 =$

3 $44 \times 44 =$

4 $59 \times 55 =$

5 $66 \times 68 =$

6 $75 \times 77 =$

7 $88 \times 84 =$

8 $93 \times 94 =$

9 $74 \times 74 =$

10 $43 \times 48 =$

エリア5　十の位が同じ2ケタの暗算

やったー!
ズラして足すときに
くりあがりがないぞ!

エリア**5**

バク速暗算テスト
上級編

記録

1回目	点	秒
2回目	点	秒
3回目	点	秒

合格ライン　240秒で全問正解　　計算王レベル　120秒で全問正解

次の問題をエリア5の裏技を用いて暗算で解いてみよう。　1問10点 ➡ 答えは90ページ

1 $26 \times 27 =$

2 $39 \times 34 =$

3 $44 \times 48 =$

4 $59 \times 56 =$

5 $68 \times 68 =$

6 $73 \times 74 =$

7 $86 \times 85 =$

8 $93 \times 98 =$

9 $79 \times 79 =$

10 $48 \times 49 =$

ズラして足すときに
くりあがりが発生するぞ
激ムズ！

エリア5のバク速奥義を長方形の面積でエレガント解説

23 × 24 はバク速奥義をつかうと――、

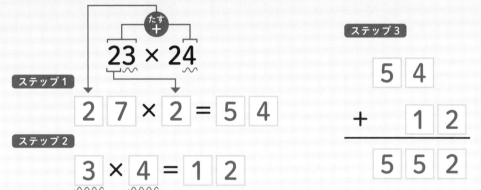

たす +

23 × 24

ステップ1

$2\ 7 × 2 = 5\ 4$

ステップ2

$3 × 4 = 1\ 2$

ステップ3

$$\begin{array}{r} 5\ 4 \\ +\ \ 1\ 2 \\ \hline 5\ 5\ 2 \end{array}$$

つまり、

$23 × 24 = (23 + 4) × 20 + 3 × 4 = 540 + 12 = 552$

ってことですわね。

ではなぜ $23 × 24 = (23 + 4) × 20 + 3 × 4$ になるのか？

23 × 24をタテ23cm、ヨコ24cmの長方形と考えると、

エレガントですわ～！

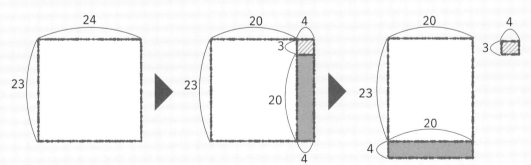

チャレンジ！

エリア5
攻略計算ゲーム

https://frstp.jp/anzan5

制限時間：120秒
合格ライン：5問正解
計算王レベル：10問正解
タカタ先生に勝てるかな？

エリア5 ＋の位が同じ2ケタの暗算

早急暗算マスター

25×2ケタ
（やり方1）

こんなかけ算だよ

25 × 19
25 × 85
44 × 25
85 × 25

難易度	★★★★☆	天才度	★★★★★	実用度	★★★☆☆

解 説

エリア4やエリア5以外の［2ケタ×2ケタ］はさらに難しくなるけど、25のかけ算は、裏技をつかえるぞ。やり方は3つある。一つひとつ解説するから、自分に一番合ったやり方を選んでみよう。

途中、わり算が必要になるけど、暗算で対応できるレベルだから安心してね！

例題　$37 \times 25 =$ ☐

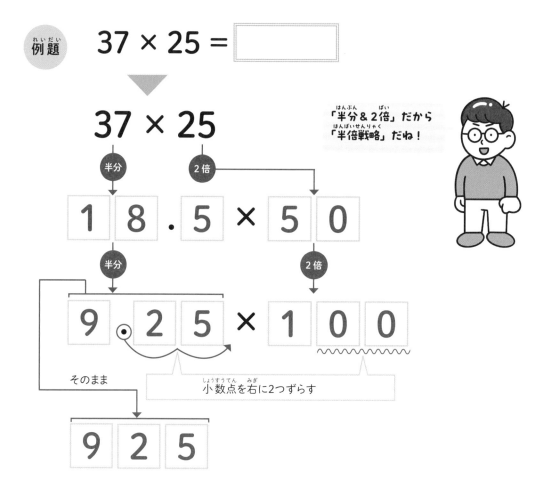

37 × 25

「半分＆2倍」だから「半倍戦略」だね！

半分 → 2倍

$1\ 8 . 5 \times 5\ 0$

半分 ↓　　　2倍 ↓

$9\ 2\ 5 \times 1\ 0\ 0$

そのまま

小数点を右に2つずらす

$9\ 2\ 5$

次の式をエリア 6-1 の裏技を やり方 1 をつかって解いてみよう！ ➡答えは91ページ

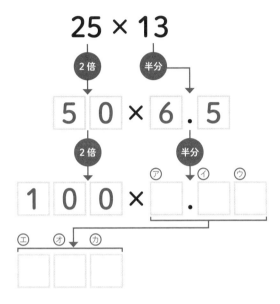

1 25 × 13 = ☐

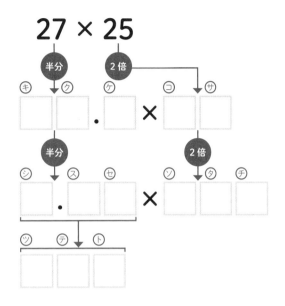

2 27 × 25 = ☐

3 25 × 39 = ☐

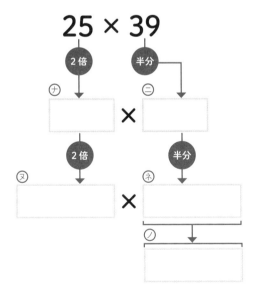

4 43 × 25 = ☐

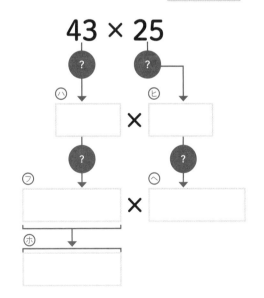

速急暗算マスター

25×2ケタ
（やり方2）

難易度 ★★★★☆　天才度 ★★★★☆　実用度 ★★★☆☆

解説

　やり方1では25を2倍、さらにそれを2倍して100をつくったけど、一気に4倍にすればステップを1つショートカットできるよ。

　その代わりに、25にかける2ケタの数字は4分の1（÷4）にしなければならないから、わり算が苦手な子には難しいかもしれないね。

例題　37 × 25 = ☐

4でわって
あまりが1→0.25
あまりが2→0.5
あまりが3→0.75
だよ〜ん！

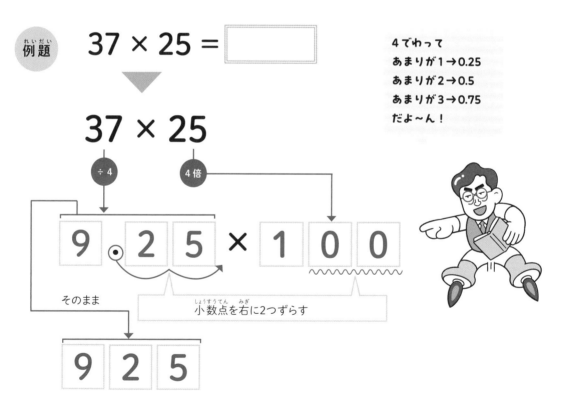

37 × 25

÷4　4倍

9 ⦿ 2 5 × 1 0 0

そのまま

小数点を右に2つずらす

9 2 5

練習問題

次の式をエリア6-2の裏技を やり方2 をつかって解いてみよう！ ➡答えは91ページ

1 25 × 13 = [　　]

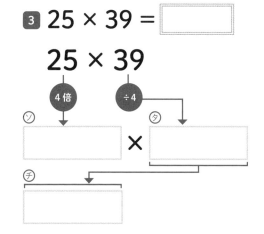

25 × 13

4倍 → 100 × 3. ㋐ ㋑ (÷4)

㋒ ㋓ ㋔

2 27 × 25 = [　　]

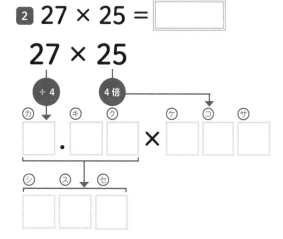

27 × 25

÷4 → ㋕ ㋖ . ㋗ × ㋘ ㋙ ㋚ (4倍)

㋛ ㋜ ㋝

3 25 × 39 = [　　]

25 × 39

4倍 → ㋞ × ㋟ ÷4

㋠

4 43 × 25 = [　　]

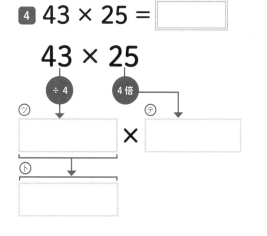

43 × 25

÷4 → ㋡ × ㋢ 4倍

㋣

5 25 × 53 = [　　]

25 × 53

4倍 → ㋤ × ㋥ ÷4

㋦

6 67 × 25 = [　　]

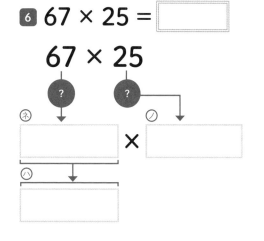

67 × 25

? → ㋧ × ㋨ ?

㋩

即急暗算マスター

25×2ケタ
（やり方3）

難易度 ★★★★★　　天才度 ★★★★☆　　実用度 ★★★☆☆

解説

やり方3のポイントは ［× 25］ を ［× 100 ÷ 4］ に置き換えること。

［100 ÷ 4］ は ［25］ だから、［× 25］ ＝ ［× 100 ÷ 4］ になるよ。

最後のわり算はたしかに難しいけど、計算王を目指すのであれば避けては通れないよ！

例題　37 × 25 ＝ ☐

$$37 × 25$$

$$= 37 × 100 ÷ 4$$

そのまま　　　右はしに0を2つつける

$$= 3\ 7\ 0\ 0 ÷ 4$$

$$= 9\ 2\ 5$$

100 ÷ 4 = 25
200 ÷ 4 = 50
300 ÷ 4 = 75
だよ〜ん！

練習問題

次の式をエリア6-3の裏技を (やり方3) をつかって解いてみよう！ ➡答えは91ページ

1 25 × 13 = ⬚

$$25 × 13$$

$$= \boxed{1}\ \boxed{0}\ \boxed{0}\ ÷\ \boxed{4}\ ×\ \boxed{13}$$

そのまま

$$= \underset{ア}{\boxed{}}\,\underset{イ}{\boxed{}}\,\underset{ウ}{\boxed{}}\,\underset{エ}{\boxed{}}\ ÷\ 4$$

$$= \underset{オ}{\boxed{}}\,\underset{カ}{\boxed{}}\,\underset{キ}{\boxed{}}$$

2 27 × 25 = ⬚

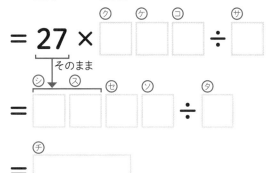

$$27 × 25$$

$$= 27 × \underset{ク}{\boxed{}}\,\underset{ケ}{\boxed{}}\,\underset{コ}{\boxed{}}\ ÷\ \underset{サ}{\boxed{}}$$

そのまま

$$= \underset{シ}{\boxed{}}\,\underset{ス}{\boxed{}}\,\underset{セ}{\boxed{}}\,\underset{ソ}{\boxed{}}\ ÷\ \underset{タ}{\boxed{}}$$

$$= \underset{チ}{\boxed{}}$$

3 25 × 39 = ⬚

$$25 × 39$$

$$= \underset{ツ}{\boxed{}}\ ÷\ \underset{テ}{\boxed{}}\ ×\ \underset{ト}{\boxed{}}$$

$$= \underset{ナ}{\boxed{}}\ ÷\ \underset{ニ}{\boxed{}}$$

$$= \underset{ヌ}{\boxed{}}$$

4 43 × 25 = ⬚

$$43 × 25$$

$$= \underset{ネ}{\boxed{}}\ ×\ \underset{ノ}{\boxed{}}\ ÷\ \underset{ハ}{\boxed{}}$$

$$= \underset{ヒ}{\boxed{}}\ ÷\ \underset{フ}{\boxed{}}$$

$$= \underset{ヘ}{\boxed{}}$$

5 25 × 53 = ⬚

$$25 × 53$$

$$= \underset{ホ}{\boxed{}}\ ÷\ \underset{マ}{\boxed{}}$$

$$= \underset{ミ}{\boxed{}}$$

6 67 × 25 = ⬚

$$67 × 25$$

$$= \underset{ム}{\boxed{}}\ ÷\ \underset{メ}{\boxed{}}$$

$$= \underset{モ}{\boxed{}}$$

エリア **6**

25×2ケタ ＆ □5×□5の暗算

エリア **6-4**

超特急暗算マスター

□5×□5

こんなかけ算だよ

65 × 65
25 × 25
45 × 45
75 × 75

難易度 ★★☆☆☆　　天才度 ★★☆☆☆　　実用度 ★★★☆☆

解説

　最後は「十の位が同じで一の位が5のかけ算」だ。これはエリア5の裏技でも解けるけれど、今から紹介するやり方のほうが圧倒的に簡単だから、ぜひマスターしてくれ！

例題　　35 × 35 = ☐

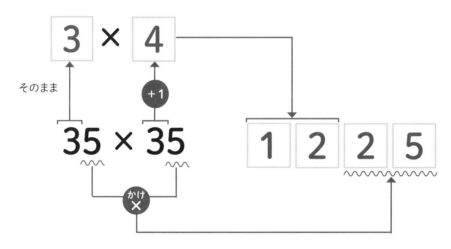

片方の十の位を
「+1」するのが
ポイントだ！

次の式をエリア6-4の裏技ををつかって解いてみよう！ ➡答えは91ページ

1 45 × 45 = ☐

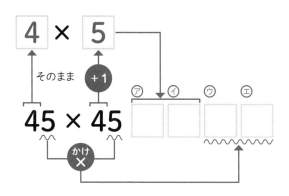

2 55 × 55 = ☐

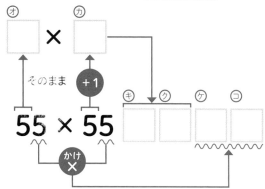

3 65 × 65 = ☐

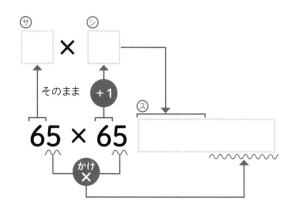

4 75 × 75 = ☐

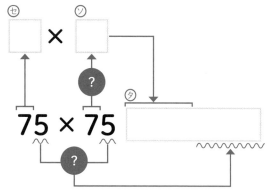

5 85 × 85 = ☐

= ㋤ ☐

6 95 × 95 = ☐

= ㋡ ☐

エリア6

バク速暗算テスト
初級編

記録
1回目　　　　点　　　　秒
2回目　　　　点　　　　秒
3回目　　　　点　　　　秒

合格ライン　60秒で全問正解　　計算王レベル　30秒で全問正解

次の問題をエリア6の裏技を用いて暗算で解いてみよう。　1問10点 ➡ 答えは92ページ

1 25 × 25 =

2 35 × 35 =

3 45 × 45 =

4 55 × 55 =

5 65 × 65 =

6 75 × 75 =

7 85 × 85 =

8 95 × 95 =

9 42 × 48 =

10 79 × 71 =

十の位が同じで一の位の和が10なら、エリア6-4の裏技と同じように解けるぞ！

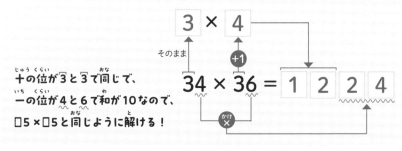

$$3 \times 4$$

そのまま　　+1

$$34 \times 36 = \boxed{1}\ \boxed{2}\ \boxed{2}\ \boxed{4}$$

かけ ×

十の位が3と3で同じで、
一の位が4と6で和が10なので、
□5×□5と同じように解ける！

バク速暗算テスト
中級編

エリア**6**

記録		
1回目	点	秒
2回目	点	秒
3回目	点	秒

合格ライン　**60秒で全問正解**　　計算王レベル　**30秒で全問正解**

次の問題をエリア6の裏技を用いて暗算で解いてみよう。　1問10点 ➡ 答えは92ページ

1 25 × 28 =

2 32 × 25 =

3 25 × 48 =

4 52 × 25 =

5 25 × 64 =

6 76 × 25 =

7 25 × 84 =

8 92 × 25 =

9 25 × 56 =

10 68 × 25 =

やった～！
片方の数が
4で割り切れるから
簡単だ！

エリア**6**

25×2ケタ ＆ □5×□5の暗算

83

エリア6

バク速暗算テスト
上級編

記録

1回目	点	秒
2回目	点	秒
3回目	点	秒

合格ライン　120秒で全問正解　　計算王レベル　60秒で全問正解

次の問題をエリア6の裏技を用いて暗算で解いてみよう。　1問10点 ➡ 答えは92ページ

1 $25 \times 21 =$

2 $39 \times 25 =$

3 $25 \times 46 =$

4 $57 \times 25 =$

5 $25 \times 62 =$

6 $71 \times 25 =$

7 $25 \times 85 =$

8 $99 \times 25 =$

9 $25 \times 33 =$

10 $86 \times 25 =$

4で割り切れないぞ！
あまりが1→0.25
あまりが2→0.5
あまりが3→0.75

エリア6のバク速奥義を長方形の面積でエレガント解説

35 × 35 はバク速奥義をつかうと——、

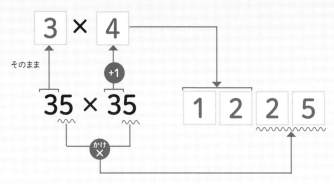

つまり、

35 × 35 = 30 × (30 + 10) + 5 × 5 = 1200 + 25 = 1225

ってことですわね。

ではなぜ35 × 35 = 30 × (30 + 10) + 5 × 5になるのか？

35 × 35をタテ35cm、ヨコ35cmの長方形と考えると、

エレガントですわ～！！

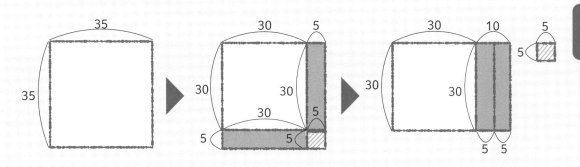

エリア6
25×2ケタ & □5×□5の暗算

チャレンジ！

エリア6
攻略計算ゲーム
https://frstp.jp/anzan6

制限時間：60秒
合格ライン：5問正解
計算王レベル：10問正解
タカタ先生に勝てるかな？

練習問題とバク速暗算テストの答え

エリア2-1　練習問題(29ページ)

㋐ 3　㋑ 7　㋒ 0　㋓ 2　㋔ 9　㋕ 0　㋖ 830　㋗ 5　㋘ 6　㋙ 4　㋚ 7

エリア2-2　練習問題(31ページ)

㋐ 8　㋑ 9　㋒ 9　㋓ 55　㋔ 44　㋕ 2　㋖ 2　㋗ 2　㋘ 4　㋙ 4　㋚ 4

㋛ 6666　㋜ 8888

エリア2-3　練習問題(33ページ)

㋐ 3　㋑ 5　㋒ 3　㋓ 8　㋔ 5　㋕ 3　㋖ 5　㋗ 3　㋘ 3　㋙ 8　㋚ 4　㋛ 3　㋜ 4

㋝ 3　㋞ 4　㋟ 7　㋠ 3　㋡ 4　㋢ 3　㋣ 4　㋤ 4　㋥ 7　㋦ 3　㋧ 24　㋨ 24　㋩ 264

㋪ 24　㋫ 2　㋬ 264

エリア2-4　練習問題(35ページ)

㋐ 7　㋑ 8　㋒ 8　㋓ 5　㋔ 8　㋕ 7　㋖ 8　㋗ 7　㋘ 8　㋙ 5　㋚ 8　㋛ 6　㋜ 8

㋝ 6　㋞ 9　㋟ 4　㋠ 6　㋡ 8　㋢ 6　㋣ 8　㋤ 9　㋥ 4　㋦ 6　㋧ 48　㋨ 48

㋩ 528　㋪ 48　㋫ 4　㋬ 528

エリア2　バク速暗算テスト初級編(36ページ)

1 30　**2** 60　**3** 570　**4** 910　**5** 280　**6** 240　**7** 33　**8** 88　**9** 220　**10** 770

エリア2　バク速暗算テスト中級編（37ページ）

1 253　**2** 374　**3** 462　**4** 594　**5** 671　**6** 792　**7** 891　**8** 396

9 572　**10** 781

エリア2　バク速暗算テスト上級編（38ページ）

1 319　**2** 407　**3** 539　**4** 616　**5** 737　**6** 825　**7** 946　**8** 1067

9 517　**10** 979

エリア3-1　練習問題（41ページ）

㋐ 1　㋑ 6　㋒ 2　㋓ 5　㋔ 6　㋕ 1　㋖ 2　㋗ 2　㋘ 4　㋙ 1　㋚ 4　㋛ 4　㋜ 63

㋝ 56　㋞ 686　㋟ 30　㋠ 20　㋡ 320　㋢ 24　㋣ 48　㋤ 288　㋥ 81

エリア3-2　練習問題（43ページ）

㋐ 1　㋑ 8　㋒ 4　㋓ 8　㋔ 2　㋕ 2　㋖ 8　㋗ 5　㋘ 6　㋙ 6　㋚ 3　㋛ 6　㋜ 2

㋝ 3　㋞ 48　㋟ 40　㋠ 520　㋡ 45　㋢ 54　㋣ 504　㋤ 9　㋥ 24　㋦ 114　㋧ 308

エリア3-3　練習問題（45ページ）

㋐ 1　㋑ 6　㋒ 8　㋓ 1　㋔ 6　㋕ 8　㋖ 1　㋗ 6　㋘ 8　㋙ 1　㋚ 5　㋛ 0　㋜ 6

㋝ 1　㋞ 5　㋟ 6　㋠ 156

エリア3　バク速暗算テスト初級編（46ページ）

1 68　**2** 159　**3** 288　**4** 324　**5** 637　**6** 106　**7** 960　**8** 6390

9 1240　**10** 2080

エリア3　バク速暗算テスト中級編(47ページ)

1 138　**2** 141　**3** 236　**4** 365　**5** 492　**6** 651　**7** 5920　**8** 5670

9 4850　**10** 6880

エリア3　バク速暗算テスト上級編(48ページ)

1 111　**2** 112　**3** 228　**4** 518　**5** 552　**6** 432　**7** 3160　**8** 6160

9 2340　**10** 4080

エリア4-1　練習問題(51〜52ページ)

㋐ 2　㋑ 4　㋒ 2　㋓ 2　㋔ 4　㋕ 2　㋖ 2　㋗ 3　㋘ 5　㋙ 2　㋚ 5　㋛ 5　㋜ 21

㋝ 18　㋞ 228　㋟ 21　㋠ 24　㋡ 234　㋢ 22　㋣ 32　㋤ 252

㋥ 20　㋦ 25　㋧ 225　㋨ 14　㋩ 4　㋪ 144　㋫ 22　㋬ 36　㋭ 256　㋮ 24

㋯ 45　㋰ 285　㋱ 24　㋲ 48　㋳ 288　㋴ 255　㋵ 272

エリア4-2　練習問題(54ページ)

㋐ 1　㋑ 4　㋒ 2　㋓ 0　㋔ 4　㋕ 1　㋖ 9　㋗ 1　㋘ 8　㋙ 2　㋚ 0　㋛ 8　㋜ 25

㋝ 56　㋞ 306　㋟ 25　㋠ 54　㋡ 304　㋢ 26　㋣ 63　㋤ 323　㋥ 342

エリア4-3　練習問題(56〜57ページ)

㋐ 1　㋑ 5　㋒ 6　㋓ 1　㋔ 5　㋕ 6　㋖ 1　㋗ 5　㋘ 6　㋙ 1　㋚ 6　㋛ 0　㋜ 8

エリア4　バク速暗算テスト初級編（58ページ）

1 144　**2** 176　**3** 156　**4** 198　**5** 168　**6** 187　**7** 169　**8** 209

9 168　**10** 156

エリア4　バク速暗算テスト中級編（59ページ）

1 192　**2** 221　**3** 196　**4** 285　**5** 288　**6** 255　**7** 216　**8** 247

9 289　**10** 195

エリア4　バク速暗算テスト上級編（60ページ）

1 204　**2** 324　**3** 304　**4** 210　**5** 306　**6** 361　**7** 208　**8** 323

9 342　**10** 304

エリア5-1　練習問題（63ページ）

㋐ 6　㋑ 0　㋒ 2　㋓ 4　㋔ 6　㋕ 2　㋖ 4　㋗ 42　㋘ 3　㋙ 126　㋚ 7

㋛ 5　㋜ 35　㋝ 1295　㋞ 51　㋟ 4　㋠ 204　㋡ 2　㋢ 9　㋣ 18　㋤ 2058

エリア5-2　練習問題（65〜66ページ）

㋐ 1　㋑ 2　㋒ 9　㋓ 4　㋔ 2　㋕ 1　㋖ 3　㋗ 3　㋘ 2　㋙ 38　㋚ 2　㋛ 76

ス 9　セ 9　ソ 81　タ 841　チ 54　ツ 4　テ 216　ト 6　ナ 8　ニ 48

ヌ 2208　ネ 65　ノ 5　ハ 325　ヒ 9　フ 6　ヘ 54　ホ 3304　マ 76　ミ 6

ム 456　メ 7　モ 9　ヤ 63　ユ 4623　ヨ 87　ラ 7　リ 609　ル 9　レ 8

ロ 72　ワ 6162

エリア5-3　練習問題(68〜69ページ)

ア 1　イ 0　ウ 5　エ 6　オ 1　カ 0　キ 5　ク 6　ケ 1　コ 0　サ 5　シ 6　ス 2

セ 3　ソ 2　タ 4　チ 6　ツ 1　テ 2　ト 0　ナ 2　ニ 4　ヌ 6　ネ 2　ノ 2　ハ 3

ヒ 2　フ 1　ヘ 2　ホ 4　マ 6　ミ 2　ム 55　メ 5　モ 275　ヤ 3　ユ 2

ヨ 06（あるいは 6）　ラ 2756　リ 55　ル 5　レ 3　ロ 2　ワ 2756

エリア5　バク速暗算テスト初級編(70ページ)

1 484　**2** 1116　**3** 1806　**4** 2958　**5** 3968　**6** 5467　**7** 6889

8 9009　**9** 2808　**10** 5256

エリア5　バク速暗算テスト中級編(71ページ)

1 572　**2** 1254　**3** 1936　**4** 3245　**5** 4488　**6** 5775　**7** 7392

8 8742　**9** 5476　**10** 2064

エリア5　バク速暗算テスト上級編(72ページ)

1 702　**2** 1326　**3** 2112　**4** 3304　**5** 4624　**6** 5402　**7** 7310

8 9114 **9** 6241 **10** 2352

エリア6-1　練習問題(75ページ)

Ⓐ 3　Ⓘ 2　Ⓤ 5　Ⓔ 3　Ⓞ 2　Ⓚ 5　Ⓚ 1　Ⓚ 3　Ⓚ 5　Ⓒ 5　Ⓢ 0　Ⓢ 6　Ⓢ 7

㋜ 5　㋩ 1　㋟ 0　㋠ 0　㋡ 6　㋢ 7　㋣ 5　㋤ 50　㋥ 19.5　㋦ 100　㋧ 9.75

㋨ 975　㋩ 21.5　㋪ 50　㋫ 10.75　㋬ 100　㋭ 1075

エリア6-2　練習問題(77ページ)

㋐ 2　㋑ 5　㋒ 3　㋓ 2　㋔ 5　㋕ 6　㋖ 7　㋗ 5　㋘ 1　㋙ 0　㋚ 0　㋛ 6　㋜ 7

㋜ 5　㋟ 100　㋠ 9.75　㋡ 975　㋢ 10.75　㋣ 100　㋤ 1075　㋥ 100　㋦ 13.25

㋨ 1325　㋩ 16.75　㋪ 100　㋫ 1675

エリア6-3　練習問題(79ページ)

㋐ 1　㋑ 3　㋒ 0　㋓ 0　㋔ 3　㋕ 2　㋖ 5　㋗ 1　㋘ 0　㋙ 0　㋚ 4　㋛ 2　㋜ 7

㋜ 0　㋟ 0　㋠ 4　㋡ 675　㋢ 100　㋣ 4　㋤ 39　㋥ 3900　㋦ 4　㋧ 975　㋨ 43

㋨ 100　㋩ 4　㋪ 4300　㋫ 4　㋬ 1075　㋭ 5300　㋮ 4　㋯ 1325　㋰ 6700　㋱ 4

㋲ 1675

エリア6-4　練習問題(81ページ)

㋐ 2　㋑ 0　㋒ 2　㋓ 5　㋔ 5　㋕ 6　㋖ 3　㋗ 0　㋘ 2　㋙ 5　㋚ 6　㋛ 7

㋜ 4225　㋜ 7　㋟ 8　㋠ 5625　㋡ 7225　㋢ 9025

エリア6　バク速暗算テスト初級編（82ページ）

1 625　**2** 1225　**3** 2025　**4** 3025　**5** 4225　**6** 5625　**7** 7225

8 9025　**9** 2016　**10** 5609

エリア6　バク速暗算テスト中級編（83ページ）

1 700　**2** 800　**3** 1200　**4** 1300　**5** 1600　**6** 1900　**7** 2100　**8** 2300

9 1400　**10** 1700

エリア6　バク速暗算テスト上級編（84ページ）

1 525　**2** 975　**3** 1150　**4** 1425　**5** 1550　**6** 1775　**7** 2125　**8** 2475

9 825　**10** 2150

エピローグ

計算王への道は始まったばかり

こうして僕たちは、99 × 99 の暗算マップを完全攻略することができた。

1 × 1〜99 × 99 までの暗算は9801パターンもあるけど、
そのうちの4257パターンが暗算で解けるようになったわけね。

暗算できたマス目を塗りつぶしながらやったから、
達成感がワンダホー！

完全攻略できて完無量大数！
これで僕たちは真の計算王になれたんだ！

ノンノンノン！
あの挑戦状に「計算王になれる」なんて書いてあったかい？

えーっと、あれ、本当だ！
「計算王に近づく」としか書いてない……！

その通り！　真の計算王になるためには、
学ばなければいけないことが、まだまだたくさんある！

　なんだあ……！　ちょっと残念……。

そんなことないよ！
計算王への道は、円周率みたいなもの……。そう、永遠に続く！
つまり僕たちはどこまでも成長できるってことさ！
だから僕は決して歩みを止めない！
いつか計算のすべてを手に入れて、計算王におれはなるっ！

ガリ男くん、カッコイイ……。

エクセレント ── ！
計算教室を最近サボりがちなガリ男のヤル気に火をつけるために、
苦労して手の込んだ挑戦状をつくって、
本当によかっ……いや、何でもない。

 ほぼ全部言っちゃってましたよ！

 ガリ男くん、素敵な先生と出会えて良かったね！

 ガリ男＆ケイさん、レッツ 成長 トゥギャザー！

 ともに＋け合い
互いに手を－合って
計算王への道を×上がろう！
ま÷の目なんて気にするな！
自分の信じた道を突き進め！
僕たちの冒険は、まだ始まったばかりだ！

ご愛読ありがとうございました！
タカタ先生の次回作にご期待ください！

タカタ先生

数学教師芸人。お笑い芸人と数学教師の二刀流で活躍中。日本お笑い数学協会会長。1982年生まれ。広島県出身。東京学芸大学教育学部数学科卒業。テレビ・YouTube・リアル授業・オンライン授業・書籍などを通じて「老若男女に算数・数学の楽しさ」を伝えることと、「算数・数学嫌い」をなくす活動に命を燃やす。その授業では、算数（数学）×お笑いを融合させた唯一無二の芸人として、驚きと笑顔を提供しつづけている。定期的に開催されるオンライン授業「タカタ先生の算数わくわく探検隊」は、算数が得意な子にも苦手な子にも大好評で満員御礼が後を絶たない。2016年に「日本お笑い数学協会（JOMA）」を設立し、会長に就任。著書に、本書の原点となったロングセラー『小学生のためのバク速！計算教室』（フォレスト出版）、『数学教師芸人タカタ先生が教える フェルミ推定で身につける課題解決の技術』（ナツメ社）があるほか、『算数が苦手な小学生でも2桁のかけ算を15秒で暗算できる本』（EIWA MOOK）では監修を務めた。日本お笑い数学協会名義では『笑う数学』『笑う数学ルート4』（いずれもKADOKAWA）がある。

数学教師芸人タカタ先生公式ホームページ
https://www.takata-anzan.com/

小学生のための
バク速! 2ケタ暗算ドリル

2024年2月23日　初版発行

著　　　者	タカタ先生	
発　行　者	太田宏	
発　行　所	フォレスト出版株式会社	
	〒162-0824	
	東京都新宿区揚場町2-18白宝ビル7F	
	電　話 03-5229-5750（営業）	
	03-5229-5757（編集）	
Ｕ　Ｒ　Ｌ	http://www.forestpub.co.jp	
印刷・製本	日経印刷株式会社	

小学生のための
バク速！2ケタ暗算ドリル

本書の読者へ
タカタ先生から無料プレゼント！

全エリア攻略計算ゲーム
スマホ、タブレット端末、パソコンでご利用いただけます。

エリア1〜エリア6の、すべてのエリアをカバーした
攻略計算ゲームを用意したぞ。
これをクリアできれば、キミは「真の計算王」に
さらに近づいたと言えるだろう。
もちろん、このゲームも全国の読者と
スピードを競うことができるよ。
目指せ、日本一の計算王！

無料プレゼントを入手するには
コチラヘアクセスしてください

https://frstp.jp/anzan

＊無料プレゼントのご提供は予告なく終了となる場合がございます。
＊無料プレゼントは WEB 上で公開するものであり、CD や DVD をお送りするものではありません。
上記、あらかじめご了承ください。